Römische Mythen

Jane F. Gardner

Römische Mythen

Eine Einführung

Aus dem Englischen übersetzt
von Ingrid Rein

Mit 39 Abbildungen
und 1 Karte

Reclam

Titel der englischen Originalausgabe:
Roman Myths. London: British Museum Press, 1993. (The Legendary Past.)

MIX
Papier aus verantwortungsvollen Quellen
FSC® C125418

RECLAM TASCHENBUCH Nr. 20372

Umschlaggestaltung: Anja Grimm Gestaltung, Hamburg
Umschlagabbildung: Die Geburt der Venus. Gemälde von Sandro Botticelli, um 1482. Galleria degli Uffizi, Florenz (© akg-images / Rabatti – Domingie)
Gesamtherstellung: Reclam, Ditzingen. Printed in Germany 2016
RECLAM ist eine eingetragene Marke der
Philipp Reclam jun. GmbH & Co. KG, Stuttgart
ISBN 978-3-15-020372-9

www.reclam.de

Inhalt

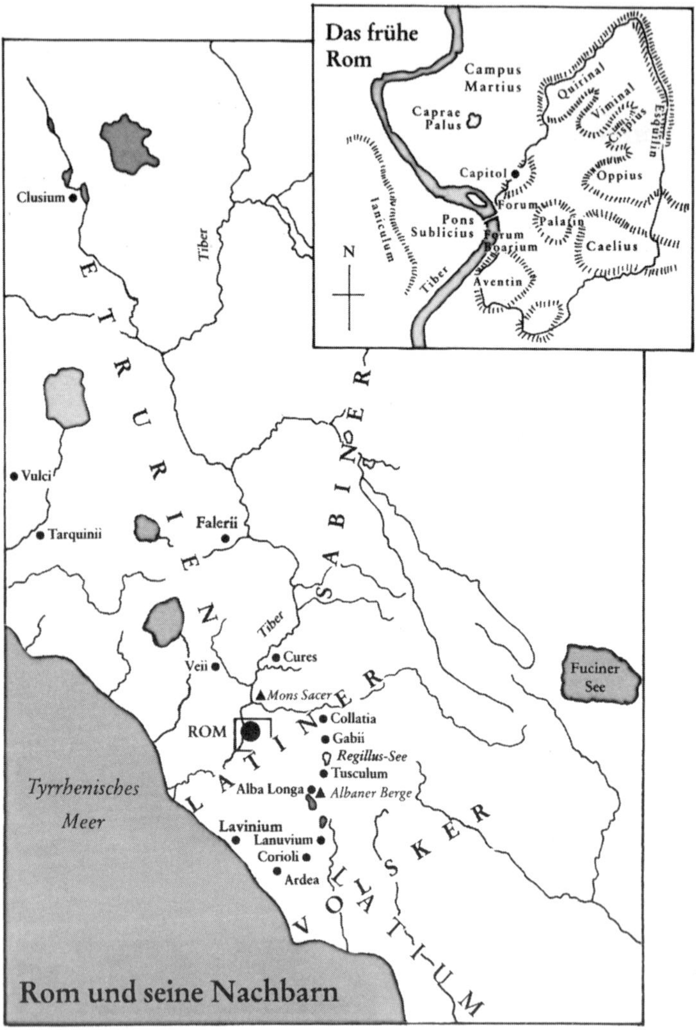

Das frühe Rom
Campus Martius
Caprae Palus
Quirinal
Viminal
Cispius
Esquilin
Oppius
Capitol
Ianiculum
Forum
Pons Sublicius
Forum Boarium
Palatin
Caelius
Tiber
Aventin
N
Clusium
Tiber
ETRURIEN
SABINER
Vulci
Tarquinii
Falerii
Tiber
Cures
Veii
Mons Sacer
Fuciner See
ROM
Collatia
Gabii
LATINER
Regillus-See
Tusculum
Tyrrhenisches Meer
Alba Longa
Albaner Berge
Lavinium
Lanuvium
Corioli
Ardea
VOLSKER
LATIUM
Rom und seine Nachbarn

Einleitung

Die Römer, so heißt es zuweilen, hatten keine Mythen, nur Sagen. Nach einer weit verbreiteten Definition ist ein Mythos »eine fiktive Erzählung, die sich gewöhnlich um übernatürliche Wesen, Taten oder Ereignisse rankt und eine bestimmte volkstümliche Vorstellung von natürlichen oder geschichtlichen Phänomenen gestaltet«. Die meisten römischen Mythen entsprechen tatsächlich nicht unbedingt dieser Definition. Bei den antiken Schriftstellern finden wir sie nicht als Fiktion, sondern als die Frühgeschichte des römischen Volkes dargestellt – obgleich wir zusehen können, wie sich ihr Inhalt vor unseren Augen verändert. Viele Mythen haben überhaupt nichts oder nur sehr wenig mit den Göttern zu tun, und auch bei letzteren handelt es sich nicht um Mythen *über* die römischen Götter selbst.

Im 1. Jahrhundert v. Chr. unterscheidet ein Redner in Ciceros philosophischem Dialog *Vom Wesen der Götter* (3,2,5) zwischen mythologischen Geschichten über die Götter, die er als etwas Griechisches betrachtet, und römischen Erwartungen an Religion; römische Religion setzt sich zusammen aus Opfern, der Deutung des Vogelflugs und Prophezeiungen, die von Deutern sibyllinischer Orakelsprüche oder der Eingeweide von Opfertieren aufgrund von Vorzeichen gemacht werden:

> Ich bin der Überzeugung, daß Romulus mit der Einführung der Beobachtung des Vogelflugs und Numa mit der der Opfer die Grundlagen unseres Staates gelegt haben, der sich bestimmt niemals zu einer solchen Größe hätte erheben können, wenn die

unsterblichen Götter nicht in höchstem Maße besänftigt worden wären.*

Mit anderen Worten, *Geschichten* über die Götter waren unwichtig; Aufgabe der Religion war es, eine stabile Beziehung zwischen den Göttern und dem Staat aufrechtzuerhalten, und Roms Erfolg in der Vergangenheit war ihre Rechtfertigung. Eine Generation später äußerte sich der griechische Schriftsteller Dionysios von Halikarnassos beifällig über das weitgehende Fehlen römischer Mythen (insbesondere moralisch verwerflicher Art), die von Göttern handelten. Er schreibt dies dem Weitblick des Romulus zu, der erkannt habe, daß es ausschlaggebend sei, sich die Gunst der Götter durch angemessene rituelle Handlungen und die Förderung von Bürgertugenden zu erhalten.

Zwei weitere Faktoren spielen bei der Bestimmung des Wesens römischer Mythen zweifellos ebenfalls eine Rolle: zum einen die antike, Griechen und Römern gemeinsame Ansicht darüber, wozu Geschichte diene und wie sie zu schreiben sei, und zum anderen die Tatsache, daß die frühesten detaillierten Darstellungen, die uns vorliegen, von Schriftstellern aus dem ersten vor- bzw. nachchristlichen Jahrhundert stammen. Damals war Rom bereits eine hochentwickelte städtische Gesellschaft, deren Kultur, Literatur und Denken seit Jahrhunderten von griechischer Literatur und Kultur durchdrungen worden waren; die »Mythen« sind in Schriften erhalten, die das Produkt ausgefeilter und selbstbewußter literarischer Techniken sind.

* Die zitierten Übersetzungen von Werken antiker Autoren werden S. 150 f. nachgewiesen.

Unsere Hauptquellen

LIVIUS (um 59 v. Chr. – 17. n. Chr.) verfaßte eine Römische Geschichte in 142 Büchern, die den Zeitraum von der Gründung Roms bis zum Jahr 9 vor Christi Geburt umfaßt. Das 1. Buch beginnt mit der knappen Schilderung der Ereignisse seit der Zeit, da Aeneas Troja verließ, bis zur Geburt von Romulus und Remus. Daran schließt sich die Geschichte der Gründung Roms und der Herrschaft seiner sieben Könige. Das 2. Buch handelt von der Errichtung der römischen Republik und den Kämpfen und Auseinandersetzungen, die sie in ihrer Frühzeit zu bestehen hatte.
Das bedeutendste Werk VERGILS (70–19 v. Chr.) war die *Aeneis*, ein Epos in zwölf Gesängen, das die Abenteuer und Fährnisse des Aeneas von seinem Aufbruch aus Troja bis zu seiner Ankunft in Italien und der Vereinigung von Trojanern und Italikern erzählt. Es finden sich darin auch prophetische Ausblicke auf die künftige Größe Roms, die mit dem vom Schicksal verheißenen Kaiser Augustus (seine Familie beansprucht, von Aeneas' göttlicher Mutter, Venus, abzustammen), ihren Höhepunkt erreicht.
OVID (43 v. Chr. – 17/18 n. Chr.) greift in einigen seiner Dichtungen römische Mythen auf. Eines dieser Werke, die *Fasten*, ist eine in die einzelnen Monate unterteilte Darstellung des römischen Kalenders, worin er die heiligen Riten und Feste des römischen religiösen Jahres beschreibt und ihre Ursprünge zu erklären versucht. Leider sind nur die ersten sechs Bücher, Januar bis Juni, erhalten. Auch in seinen *Metamorphosen* finden sich einige – in der Vergöttlichung Iulius Caesars gipfelnde – römische Geschichten, und sie enden mit einem Loblied auf Augustus.
DIONYSIOS VON HALIKARNASSOS kam etwa zu der Zeit als Rhetoriklehrer nach Rom, als Kaiser Augustus die Alleinherrschaft antrat (30/29 v. Chr.), und blieb zweiundzwanzig Jahre dort. Er verfaßte die *Antiquitates Romanae*. Diese romantisch gefärbte, rhetorisch ausgefeilte Geschichte Roms von den Anfängen bis zum Beginn des Ersten Punischen Krieges (264 v. Chr.) war eine Lobeshymne auf das frühe Rom, die den Griechen helfen sollte, sich mit der Herrschaft der Römer abzufinden.

Auch bei den römischen Gelehrten finden sich – wenn auch verhältnismäßig knappe und oft nur bruchstückhafte – Informationen. Marcus Terentius VARRO (116–27 v. Chr.) widmete nach seinem Rückzug aus dem öffentlichen Leben zwanzig Jahre der Forschung und dem Schreiben und erwies sich dabei als äußerst produktiv. Nach Angaben eines späteren Schriftstellers hatte er im Alter von siebenundsiebzig Jahren 490 Bücher publiziert. Zu den Werken, die verlorengingen, gehörten seine *Antiquitates rerum humanarum et divinarum* in 41 Büchern, von denen 25 menschliche Angelegenheiten behandeln und 16 religiöse Institutionen und Götter der römischen Religion. Außer einer Abhandlung über Landwirtschaft ist ferner noch ein Viertel von seinem Werk über die lateinische Sprache erhalten: *De lingua Latina* widmet sich der Etymologie und der Grammatik und enthält zahlreiche Zitate älterer Schriftsteller. Erhalten ist uns auch ein Teil des Auszugs, den Sextus Pompeius FESTUS (2. Jahrhundert n. Chr.) von einem ähnlichen Werk des Verrius Flaccus angefertigt hatte, eines gelehrten Freigelassenen, der die Enkel des Augustus unterrichtete.

PLUTARCH (um 46–nach 120 n. Chr.), ein Grieche aus Chaironeia in Böotien, der in Erfüllung politischer Aufträge die ganze römische Welt bereiste, war ebenfalls überaus produktiv. Sein bekanntestes Werk sind die *Parallelviten* großer Griechen und Römer, von denen uns zweiundzwanzig Biographienpaare und vier Einzelbiographien überliefert sind. Aus der Zeit des frühen Rom berichten die Lebensbeschreibungen der Könige Romulus und Numa, des Publius Valerius Poplicola, der einer der ersten Konsuln war, und des Coriolanus. In seinen *Quaestiones Romanae* behandelt er Bräuche und religiöse Riten der Römer.

Keines dieser Werke ist vor dem ersten vorchristlichen Jahrhundert entstanden, d. h. sie wurden erst an die sieben Jahrhunderte nach dem Zeitpunkt verfaßt, der als das überlieferte Datum der Gründung Roms gilt. Welche Quellen aber standen diesen Schriftstellern zur Verfügung?

Sie stützten sich hauptsächlich auf frühere Autoren. Der erste bekannte römische Historiker (von dessen Werk allerdings nur einige Fragmente erhalten sind) war Quintus Fabius Pictor. Er verfaßte eine *Geschichte Roms* von den Anfängen bis in die Mitte des 3. Jahrhunderts. Wie die frühesten bekannten Dichter Roms schrieb auch er in griechischer Sprache; der erste, der, ein halbes Jahrhundert später, eine geschichtliche Abhandlung in Latein verfaßte, war Cato der Ältere. Spätere Schriftsteller wie Livius gründeten ihre Berichte nicht auf eigene Forschungen (für die es praktisch kein Material gab), sondern auf die Schriften ihrer Vorgänger, wobei sie sich zuweilen bewußt bemühten, widersprüchliche Versionen in ihrem Wert einzuschätzen; häufiger wählten sie aller-

Eine von L. Marcius Philippus im Jahr 55 v. Chr. herausgegebene Münze: auf der einen Seite König Ancus Marcius, der sagenhafte Erbauer von Roms erstem Aquädukt, auf der anderen Seite die Aqua Marcia *(114 v. Chr.) mit dem Reiterstandbild ihres Erbauers Q. Marcius Rex*

dings einfach die Version, die die beste Geschichte ergab oder ihnen für ihre eigenen Zwecke am geeignetsten erschien. Denn zwei Dinge waren für die meisten antiken Geschichtsschreiber von besonderer Bedeutung: die literarische Qualität der Werke und ihr didaktischer Wert. »Eines besonders ist beim Eindringen in die Geschichte dienlich und fruchtbringend«, schrieb Livius in der Vorrede zu seiner römischen Geschichte *Ab urbe condita*, »nämlich dies: daß du vorbildhafte Beispiele an hervorleuchtendem Denkmal betrachtest; an ihnen magst du für dich und dein Gemeinwesen lernen, was du nachahmen, an ihnen, was du – weil schändlich

schon in seinem Beginn, schändlich in seinem Ausgang – meiden sollst.«
Dies bedeutete u. a., daß Schriftsteller die Vergangenheit im Hinblick auf die Fragen und Auseinandersetzungen ihrer eigenen Zeit interpretierten.
Der Zeitraum von der angenommenen Gründung Roms bis zum Ende der Monarchie und der nach antiker Überlieferung im Jahr 509 v. Chr. erfolgten Errichtung der Republik kann nicht als »geschichtlich« in unserem Sinn bezeichnet werden; dies gilt auch für vieles, was in den literarischen Abhandlungen über die ersten ein, zwei Generationen der Republik berichtet wird. Wissenschaftler unserer Zeit diskutieren, ob sich in den Geschichten über die Königszeit überhaupt historisch Wahres findet (und wenn ja, wie man es festmachen kann). Auch darin, daß die überlieferten Berichte über die Frühzeit der Republik vor Erfundenem strotzen und von späteren Quellen beeinflußt sind, ist man sich einig. Für alle, die sich für die Herausbildung von Mythen interessieren, sind indes diese Überlieferungen eine wahre Schatzkammer, denn in ihnen – und in der Art und Weise, wie sie sich über die Jahrhunderte hinweg bis in die historische Zeit hinein veränderten und entwickelten – können wir verfolgen, wie sich die Römer durch die Geschichten, die sie über ihre Vergangenheit erzählen, d. h. durch ihre »Mythen«, selbst definieren. Sie verwenden vielfältiges Material, wie etwa aus der griechischen Mythologie und Geschichte übernommene Vorstellungen und Motive, Themen, wie sie in althergebrachten »Volkssagen« überliefert sind, und Episoden aus der Familientradition einiger der bedeutenden römischen Sippen. Während der Republik wurden Münzen mit Abbildungen von Vorfahren solcher Familien geprägt, die in der sagenhaften Vergangenheit gelebt haben sollen. Historiker verbreiteten die Geschichte der verschiedenen Sippen; daß die Fabier, die Valerier und die Claudier in der Geschichte der frühen Republik eine derart herausragende Stellung einnehmen, ist vermutlich Fabius Pictor sowie Valerius Antias und Claudius Quadrigarius zu verdanken, die um 80 v. Chr. ihre eigenen Römischen Geschichten schrieben.

Diese Familientraditionen sprachen insbesondere Geschichtsschreiber und auch Redner wie Cicero an (auch wenn sie sich zuweilen skeptisch darüber äußern mochten), und zwar wegen des Werts, den sie, wie die Römer es nannten, als *exempla* hatten, als Illustrationen einer bestimmten Moralvorstellung (»was du nachahmen, was du meiden sollst«). In den ersten Büchern des Livius, wie auch in den schlaglichtartigen Ausblicken in die Zukunft Roms bei Vergil, veranschaulichen viele dieser patriotischen Sagen die »römischen« Tugenden beispielhaft.

Wie die Griechen zeigten auch die Römer ein besonderes Interesse an Ätiologie, d. h. sie interessierten sich für die Ursprünge von Riten, Ortsnamen, Institutionen und Städten, für den Ursprung des römischen Volkes und die Anfänge seiner Geschichte. Das bedeutet nicht, daß sie wirklich herausfinden wollten, wie alles begann; eine Geschichte, die eine zufriedenstellende Erklärung abgab, genügte ihnen.

So werden z. B. die Ursprünge der wichtigsten politischen, religiösen und gesellschaftlichen Einrichtungen des historischen Rom seinen sieben (selbst größtenteils legendären) Königen zugeschrieben: Danach hat Romulus den Senat, die Volksversammlung und die »Zenturien« der Reiterei eingeführt; Numa sind der Kalender und die wichtigsten Priesterämter zu verdanken, Hostilius Verratsprozesse und religiöse Zeremonien zum Abschluß von Friedensverträgen; Ancus Marcius schuf ein Zeremoniell zur Kriegserklärung und ließ das erste Gefängnis, die erste Brücke und das erste Aquädukt in Rom erbauen; Tarquinius Priscus (»der Erste«) errichtete die erste Stadtmauer aus Stein und stiftete die jährlich stattfindenden Römischen Spiele; Servius Tullius führte Zensus, Tribussystem und die hierarchischen »Zenturiatskomitien« ein. Selbst der Bau der *cloaca maxima*, des großen Entwässerungskanals, mit dessen Hilfe das Sumpfgebiet zwischen den Hügeln trokkengelegt werden sollte, wurde einem König zugeschrieben, nämlich Tarquinius Superbus (»der Stolze«), obgleich die noch vorhandenen Reste erst aus dem 4. Jahrhundert v. Chr. stammen.

Römische Götter und griechische Mythen

Die Römer hatten offenbar einen eigenen Gott bzw. eigene Götter für nahezu jeden Gegenstand oder jede Tätigkeit von Bedeutung. So waren z. B. Consus (»der Berger«, dem der Schutz der geborgenen Feldfrüchte oblag, auch wenn sich nach Varros Meinung der Name von *consilium*, ›Rat‹, herleitete), Pales (Göttin der Schafherden und -hirten) und Robigus (er verhinderte den Getreidebrand) für landwirtschaftliche Belange zuständig; Ianus war der Gott der Türen, Tore und Durchgänge, Faunus der Gott alles Wilden, Silvanus der Gott der Wälder und des nicht bestellten Lands; daneben gab es zahlreiche andere Gottheiten, die anscheinend personifizierte Funktionen waren – für uns aber, und für die Römer der klassischen Periode, nur mehr Namen sind. Sie haben *numen* (»göttliche Macht«), aber keine individuelle Persönlichkeit. Obgleich der »Gottesdienst« bei den Römern ausführlich und bis ins Detail festgelegt war und der Kalender das ganze Jahr hindurch von Priesterkollegien zu vollziehende Opfer und Riten zu Ehren der verschiedenen Götter vorsah, rankt sich nur um wenige Gottheiten irgendeine Geschichte, und selbst dann, wenn solche Geschichten darauf abzielen, den Kult oder die Funktion einer bestimmten Gottheit zu erklären, kommen die Götter selbst darin kaum vor. Sollten die Römer jemals eine Mythologie über ihre Götter besessen haben, so ist sie unwiederbringlich verloren. Römischen Göttern mangelt es an persönlichen Abenteuern und Familienbanden: Was die wichtigsten Götter betrifft, so wurden sie einfach von den Griechen übernommen, wobei olympische und römische Gottheiten mehr schlecht als recht einander angeglichen wurden.

Die griechischen Hauptgötter waren KRONOS (Zeit), der von seinem Sohn Zeus gestürzt wurde; ZEUS, König der Götter und Wettergott; sein Bruder POSEIDON, Gott des Meeres und der Erdbeben; HERA, die Königin des Himmels, Gemahlin (und Schwester) des Zeus, Göttin der Ehe und der Frauen; sowie Zeus' andere Schwestern DEMETER (Göttin des Getreides und der Ernten) und HESTIA (Göttin des Herdes). Zu diesen kommen die Kinder Heras,

ARES (Kriegsgott) und HEPHAISTOS (Gott des Feuers und der Schmiedekunst), der mit APHRODITE verheiratet war. Sie war die Göttin der Liebe, über deren Geburt es zwei Versionen gibt: Nach der einen war sie von Kronos' Vater Uranos »schaumgeboren«, nach der anderen eine Tochter des Zeus und der Titanin Dione. ATHENE, die Göttin der Weisheit, war die Tochter von Zeus und Metis (der Personifikation des wohldurchdachten Rates). Andere Kinder des Zeus – von verschiedenen Geliebten – waren die Zwillinge APOLLON (Gott der Musik, aber auch der Heilkunst, des Bogenschießens, der Herden und Hirten) und ARTEMIS, die mit wil-

Römische Münze (um 220 v. Chr.) mit dem Bildnis des Gottes Ianus, der – als Gott der Türen und Tore, aber auch aller Anfänge – in zwei Richtungen blickt

den Tieren, Jagd und Jungfräulichkeit verbunden war, HERMES, der Götterbote und Schutzpatron von Kaufleuten und Dieben, sowie der erst spät in die Reihen der Olympier aufgenommene DIONYSOS (auch BAKCHOS genannt), der Gott des Weines.
Einige (wenn auch nicht alle) dieser Götter setzten die Römer einfach mit Göttern aus ihrem Pantheon gleich, wobei sie nicht immer eine glückliche Hand bewiesen. IUPPITER, NEPTUN, MARS, VENUS und VESTA sind mehr oder weniger treffende Entsprechungen von Zeus, Poseidon, Ares, Aphrodite und Hestia, VULCANUS, der römische Gott des Feuers, wird mit Hephaistos identifiziert, Artemis mit DIANA, einer Göttin der Wälder, wahrscheinlich aber

Silvanus, der Gott der Wälder, mit einem Tierfell um die Schultern und einem Baum in einer Hand; auch in der anderen Hand hielt er ursprünglich etwas, möglicherweise eine Heckensichel

auch des Mondes, der Frauen und der Geburt. IUNO erscheint zwar historisch in Funktionen, die derjenigen der Hera sehr ähnlich sind, und besonders als Göttin der Frauen, doch war sie ursprünglich möglicherweise eine Göttin, die mit der Tüchtigkeit junger Krieger in Verbindung gebracht wurde. Kronos fand keine zutreffende Entsprechung im römischen SATURN, ursprünglich vielleicht ein Fruchtbarkeitsgott, der, wie Kronos, mit einem primitiven Goldenen Zeitalter verknüpft wurde, ehe Ackerbau zur Ernährung des Menschen notwendig wurde.

Ebenfalls eher überraschend ist die Gleichsetzung von MINERVA und Athene. Minerva war eine italische Göttin des Handwerks. Für die Römer gehörte sie zur Trias ihrer Hauptgötter – Iuppiter, Iuno und Minerva –, die in einem Tempel auf dem Kapitol verehrt wurde. Der Tempel und seine Trias wurden im Laufe der Zeit zum Inbegriff des »Römischen« und im gesamten Römischen Reich kopiert: Der Überlieferung nach geht der Bau des Tempels auf Roms letzten König, Tarquinius Superbus, zurück, geweiht wurde er aber wohl erst zu Beginn der Republik (im Jahr 509 v. Chr.). Tarquinius' Vater, der den Tempel gelobt haben soll, stammte aus Etrurien, was uns etwas über Minervas Ursprünge verraten mag, während ihre Beförderung in eine »gehobenere Position« wie die der Athene möglicherweise den bereits damals vorhandenen Einfluß der griechischen Kultur auf die Etrusker spiegelt.

MERKUR, mit Hermes gleichgesetzt, war wahrscheinlich ursprünglich gar kein römischer Gott, sondern lediglich ein im ersten Jahrzehnt des fünften vorchristlichen Jahrhunderts zusammen mit einigen anderen Göttern von den Römern übernommener und umbenannter griechischer Gott. Etwa zur selben Zeit wurden Demeter und Dionysos als CERES und LIBER in Rom eingeführt. Dies geschah auf Anraten der sogenannten *Sibyllinischen Bücher*, einer im Tempel des Iuppiter Capitolinus aufbewahrten Sammlung von Orakelsprüchen, die in Notzeiten (insbesondere bei Naturkatastrophen wie Seuchen oder Hungersnöten) zu Rate gezogen wurden, um zu erfahren, wie die Götter günstig zu stimmen seien; das empfohlene Mittel bestand meist in der Einführung eines neuen

Gottes oder eines neuen Kultes. Dionysios von Halikarnassos berichtet in seinen *Antiquitates Romanae* (4,62,2f.) – nach eigener Aussage Varro folgend –, wie die Römer in den Besitz der Sammlung gelangt waren:

> Eine gewisse Frau, die nicht aus der Gegend stammte, kam zum Tyrannen [Tarquinius Superbus] und bot ihm neun Bücher mit geheimnisvollen Sprüchen zum Kauf an. Als Tarquinius es ablehnte, sie zum geforderten Preis zu erwerben, ging die Frau fort und verbrannte drei der Bücher; bald darauf kam sie zurück und verlangte denselben Preis für die restlichen sechs. Man hielt sie für verrückt und lachte sie aus, weil sie dieselbe Summe, die ihr zuvor schon für die größere Zahl verweigert worden war, nun für noch weniger Bücher haben wollte; und wieder ging sie und verbrannte die Hälfte der Bücher. Dann kam sie erneut zurück und forderte abermals den ursprünglichen Preis für die noch vorhandenen drei Bücher. Über ihre Hartnäckigkeit erstaunt, ließ Tarquinius die Auguren holen und fragte sie nach ihrem Rat. An gewissen Zeichen erkannten sie, daß er ein von den Göttern gesandtes Geschenk zurückgewiesen hatte. Sie erklärten, es sei ein großes Unglück, daß er nicht alle Bücher gekauft habe, und forderten ihn auf, der alten Frau zu geben, was sie verlange, und die noch vorhandenen Bücher zu nehmen.

Dies tat er, und die Frau verschwand. Tarquinius ernannte zwei Priester zu Hütern der Orakelsammlung, ein Amt, das es, so Dionysios, auch zu seiner Zeit noch gab. Als die Schriften 83 v. Chr. einem Brand zum Opfer fielen, wurde eine neue Sammlung angefertigt, in der Orakelsprüche aus verschiedenen Teilen der bekannten Welt aufgezeichnet wurden; einige davon erwiesen sich jedoch als Fälschungen.

Rom zeigte sich im allgemeinen empfänglich für neue Götter und Göttinnen. Zu den ersten, die in das römische Pantheon aufgenommen wurden, gehörten Apollo (für den man kein römisches Äquivalent fand) als Gott der Heilkunst und der zum Gott erhobene Heros Herakles (den die Römer Hercules nannten). Eine der

In der frühen Kaiserzeit ließen sich Familien von Freigelassenen auf ihren Gräbern gern als Götter darstellen. Vom Hals abwärts ist diese junge Frau Venus; ihre Frisur ähnelt stark der von Hadrians Schwiegermutter

berühmtesten neu eingeführten Gottheiten war Kybele, die auch *Magna Mater*, Große Mutter, genannt wurde. Sie kam, in Gestalt eines schwarzen Steins, während des Krieges gegen Hannibal im Jahr 204 v. Chr. nach Rom (s. S. 104f.); ihr Tempel wurde 191 v. Chr. geweiht und die *Megalesia*, jährlich stattfindende Feiern mit Theatervorführungen und Spielen, ins Leben gerufen. Der Kult kam von der »griechischen« Seite des Mittelmeeres, von Phrygien in Kleinasien, nach Rom. Zumindest das Fest war bei

Terrakotta-Lämpchen, auf dem die Kapitolinische Trias – Iuppiter zwischen Iuno und Minerva – abgebildet ist

den Römern sehr populär, am Kult selbst durften sie sich allerdings nicht beteiligen, weil er nicht ihren Vorstellungen von Schicklichkeit entsprach. Zu den Kulthandlungen gehörten laute Straßenprozessionen ekstatischer Priester, die, begleitet von Hörnern, Trommeln und Zymbeln, wilde Sprünge und orgiastische Tänze vollführten und Vorübergehende anbettelten. Ausgelassenes Tanzen, vor allem in der Öffentlichkeit, wurde von den Römern ohnehin mißbilligt, und die Tatsache, daß die Priester Eunuchen waren, machte die Sache in ihren Augen noch schlimmer.

Was die Römer tatsächlich von ihren hellenisierten Göttern hielten, läßt sich heute kaum mehr eruieren, da in den überlieferten Schriften die Geschichten nur noch literarische Motive oder Mittel darstellen. In seiner *Ars amatoria*, der »Liebeskunst«, übernahm Ovid von Homer einfach die Geschichte, wie Vulcanus (Hephaistos) seine Gemahlin Venus mit Mars (Aphrodite und Ares) im Bett ertappte, sie mit einem unsichtbaren Netz am Entkommen hinderte und die anderen Götter herbeirief, damit sie die beiden auslachten. Ovid benützt diese Geschichte, um ironische Ratschläge für eifersüchtige Liebhaber zu illustrieren: Hegst du den Verdacht, deine Geliebte betrüge dich, dann versuche nicht, sie zu ertappen – am Ende bist nämlich du der Verlierer. Aber, so beeilt er sich hinzuzufügen, »ich bezeuge es noch einmal: Hier wird nur gespielt, was das Gesetz zuläßt; unsere Scherze sind nichts für Matronen« (2,599f.). Dies war eine Vorsichtsmaßnahme: Augustus hatte nämlich ein Gesetz erlassen, das Ehebruch mit harten Strafen belegte. Er verbannte Ovid im Jahre 8 n. Chr. aus Gründen, die uns nicht bekannt sind, doch die erotische Freizügigkeit eines Großteils von Ovids Dichtung mag dabei eine Rolle gespielt haben.

Vergil dagegen paßte es in der *Aeneis* besser ins Konzept, über Venus' Untreue einfach hinwegzugehen. Bei ihm setzt sie ihre Verführungskünste ein, um ihren Gatten Vulcanus dazu zu bewegen, für Aeneas (ihren Sohn, den sie einem Sterblichen, Anchises, geboren hatte) Waffen zu schmieden:

[...] umkosend den Leib mit den blendenden Armen,
Hielt sie in sanfter Umarmung den Zaudernden. Plötzlich durchzuckt ihn
Wieder das alte Feuer, es drang ins Mark die bekannte
Glut seiner Liebe und lief durch die mächtig erschütterten Glieder:
Etwa, wie wenn bisweilen, vom Strahl des Donners zerrissen,
Zuckt ein feuriger Blitz und strahlend am Himmel dahinfährt.
Froh ihrer List und der Schönheit bewußt, gewahrt dies die Göttin.

(8,387–393)

Dieses architektonische Schmuckelement aus Terrakotta stellt den Triumph des Augustus dar. Victoria trägt Waffen als Trophäen und steht auf einer Kugel, die von Steinböcken, den Glückssymbolen des Augustus, flankiert ist

»Von unendlicher Liebe gefesselt« (8,394), willigt der Gott ein, seiner Gemahlin den Gefallen zu tun. Dann

> Stillt er den Wunsch der Umarmung, und sanft an den Busen der Gattin
> Hingesunken, empfing er im Körper die süße Betäubung.
> (8,405 f.)

Die Verführungsszene mutet wie eine Parodie auf eine ähnliche Szene in der *Ilias* an, in der Hera Zeus' Aufmerksamkeit von den Geschehnissen auf dem trojanischen Kriegsschauplatz ablenkt. Vergil knüpft daran eine Beschreibung der von Vulcanus geschaffenen Waffen, insbesondere des Schildes. Auch dies ist eine aus Homers *Ilias* übernommene Idee: dort schmiedet Hephaistos einen Schild für Achilleus. Vulcanus, als Gott »nicht fremd der kommenden Zeiten« (8,627), schmückt sein Werk mit Bildern, die Vergil die Möglichkeit bieten, auf bedeutende (folgende) Ereignisse der römischen Geschichte einzugehen. Die Darstellung in der Mitte des Schildes bildet gleichsam den Höhepunkt. Eindrucksvoll zeigt sie, wie der künftige Kaiser Augustus, Vergils Gönner und (woran der Kaiser seine Untertanen stets erinnerte) Nachkomme der Venus und des Aeneas, mit Apollos Hilfe – auch dies ein Mythos, der sich herausbildete – in der Schlacht von Actium (31 v. Chr.) über Antonius und Cleopatra siegt und in Rom über besiegte Völker aus aller Herren Länder den Triumph feiert.

Aeneas und das künftige Rom

Aeneas verdankt seine Bekanntheit bei der Nachwelt ganz wesentlich dem Epos Vergils, in dem die Fahrten und Heimsuchungen des Helden ausdrücklich als nationaler Mythos über die Ursprünge und die göttliche Bestimmung Roms präsentiert werden. Bereits in Homers *Ilias* sagt der Meeresgott Poseidon dem Trojaner Aeneas und dessen Nachkommen eine große Zukunft als Könige voraus und setzt deshalb dem erbitterten Zweikampf zwischen Aeneas und Achilleus ein abruptes Ende, indem er den Trojaner vom Schlachtfeld entführt. Nach Trojas Fall ließen traditionelle Bindungen Aeneas gemeinsam mit seinem Vater Anchises, seinem Sohn Ascanius und einigen trojanischen Gefährten nach Westen aufbrechen – wie übrigens auch zahlreiche andere Trojaner, was den Boden bereitete für Gründungssagen vieler Orte auf Sizilien und in Süditalien, wo sich Griechen seit dem achten vorchristlichen Jahrhundert angesiedelt hatten.

Die frühe Geschichte der Aeneas-Sage

Bereits im ausgehenden 6. Jahrhundert v. Chr. war die Geschichte von Aeneas' Flucht aus Troja in Etrurien bekannt; sie ist auf einer Reihe von dort gefundenen schwarzfigurigen attischen Vasen dargestellt. Das Motiv taucht auch auf Votivfiguren auf, die in der etruskischen Stadt Veji gefunden wurden, sowie auf etruskischen Gemmen. Mit Rom wird Aeneas zum erstenmal von Hellanikos in Verbindung gebracht, einem griechischen Historiker des fünften vorchristlichen Jahrhunderts, der schrieb, Aeneas habe Rom gegründet und es nach einer der ihn begleitenden trojanischen Frauen Rhome (griechisch für »Stärke«, »Kraft«) benannt. Einige griechische Schriftsteller schreiben die Gründung der Stadt dagegen nicht Aeneas, sondern anderen Trojanern und Griechen zu; in einer Version wurde Rom von einem Sohn des Odysseus und der Circe gegründet. Später taucht Aeneas als Vater oder Großvater des Gründers von Rom wieder auf.

Die Bereitschaft der Römer, zu akzeptieren, daß die Ahnherrn ihrer Stadt Fremde waren, ist höchstens auf den ersten Blick verwunderlich. Denn diese Geschichten versetzten die Römer in

Aeneas trägt seinen Vater Anchises und das Palladium (ein Kultbild der Göttin Athene); von Iulius Caesar herausgegebene Münze, 49 und 47 v. Chr.

die Lage, einen eigenen Platz in der – in gewissem Sinne als »historisch« betrachteten – Tradition der heroischen Vergangenheit Griechenlands zu beanspruchen. Als Nachkommen des Trojaners Aeneas konnten sie aber dennoch eine Trennungslinie zwischen sich und den Griechen ziehen; mehr noch, der nach Italien gekommene Aeneas kann als Freund und Kollaborateur der Griechen erscheinen, nicht als ihr Feind.

Nach einer anderen Überlieferung wurde Rom indes weder von Aeneas noch von irgendeinem anderen Trojaner oder Griechen gegründet, sondern von Romulus und Remus. Einige frühe römische Historiker behaupteten, bei diesem Zwillingspaar handele es sich um Söhne oder Enkel des Aeneas. Man gelangte jedoch zu der Einsicht, daß weder Aeneas noch seine Söhne, ja nicht einmal seine Enkel als Gründer Roms in Frage kamen. Mit der von dem griechischen Gelehrten Eratosthenes von Kyrene (275–194 v. Chr.) in seiner Weltchronik *Chronographia* vorgenommenen Datierung des Falls von Troja auf das Jahr 1184 v. Chr. wurde der zeitliche Abstand zwischen Aeneas und Romulus offenkundig. Als Zeitpunkt der Gründung Roms waren verschiedene Daten zwischen 814 und 728 v. Chr. vorgeschlagen worden; allgemein anerkannt wurde schließlich das Jahr 753 v. Chr. Im frühen zweiten vorchristlichen Jahrhundert fand Cato der Ältere eine geniale Lösung, um den Zeitraum zwischen dem 12. und dem 8. Jahrhundert zu überbrücken. Seine Geschichte wurde in ihren wesentlichen Zügen zur Standardversion. Danach erreichte Aeneas Latium an einem Ort mit dem Namen »Troja«, gründete auf dem Land, das ihm Latinus, der König dieser Gegend, zur Verfügung stellte, eine Stadt namens Lavinium und herrschte dort mit seiner Gemahlin Lavinia, Latinus' Tochter, über ihr vereinigtes Volk, das sich nun Latiner nannte. Nach dem Tod des Aeneas in einem Krieg gegen einen einheimischen Fürsten und die Rutuler (die bei Vergil Aeneas *vor* dessen Hochzeit bekriegen) gründete sein Sohn Ascanius Alba Longa, das er später seinem Bruder (oder, nach anderen Versionen, Sohn) Silvius übergab. Dieser war der erste einer Reihe von Königen, die praktischerweise die Lücke bis zur Geburt von Romulus und Remus und der einige Jahre später erfolgten Gründung Roms füllten.

Den Weissagungen auf der Spur

Jede gute Gründungssage muß mit Vorzeichen und Weissagungen aufwarten können. In Vergils Geschichte segelte Aeneas, wie es sich für einen griechischen Städtegründer ziemte, zunächst nach Delos, um den Gott Apollo zu befragen. Dieser prophezeite auf typisch unklare Art:

Hartes Dardanervolk, ein Land, das vom Stamme der Väter
Euch ursprünglich schon trug, es empfängt euch kehrend nun wieder
In dem lachenden Schoße. Die alte Mutter, nun sucht sie!
(*Aeneis* 3,94–96)

Anchises entsann sich, daß Teukrus, Ahnherr der trojanischen Könige, einst aus Kreta gekommen war, und dort ließen sich nun Aeneas und seine Trojaner nieder. Nach schweren Heimsuchungen, die schon bald über ihn und seine Gefährten hereingebrochen waren, erschienen Aeneas im Schlafe die trojanischen Götter, die er aus der brennenden Stadt gerettet hatte, mit einer Botschaft Apollos, der es für angebracht hielt, seinen ursprünglichen Spruch zu erhellen: Die »alte Mutter« sei Italien, denn von dort stamme Dardanus, der mythische Gründer Trojas. Erneut machten sich Aeneas und seine Trojaner auf den Weg. Auf ihrer Fahrt durch das Ionische Meer landeten sie auf Inseln, »Strophaden, mit griechischem Namen geheißen« (3,210). Dort schlachteten sie Rinder und Ziegen und bereiteten sich ein Mahl. Sofort fielen die Harpyien über sie her, vogelartige weibliche Wesen, die das Essen mit ihrem Unrat beschmutzten. Zwar konnten die Trojaner die Ungeheuer abwehren, deren Anführerin prophezeite ihnen aber:

Nach Italien lenkt ihr die Fahrt, mit erbetenen Winden
Kommt nach Italien ihr und werdet erreichen den Hafen;
Doch die verheißene Stadt umschließt ihr nicht eher mit Mauern,
Als bis rasender Hunger, weil ihr so schnöde gemordet,
Zwingen euch wird, an Tischen zu nagen und sie zu verschlingen.
(3,253–257)

Verzagt ob dieser düsteren Prophezeiung, stachen sie erneut in See. In Epirus trafen sie auf einen trojanischen Landsmann, Priamus' Sohn Helenus, der nun als König über eine nach dem Vorbild Trojas errichtete Stadt herrschte. Er gab Aeneas detaillierte Anweisungen für die Reise und fuhr fort:

Zeichen verkünd ich dir nun, du halte sie fest in der Seele.
Wenn dir Bekümmertem einst am einsam strömenden Flusse
Unter den Ufereichen erscheint ein gewaltiges Wildschwein,
Das der Frischlinge dreißig gebar, im Schatten gelagert,
Weiß, am Boden gestreckt und die weißen Ferkel ums Euter,
Dort ist der Ort für die Stadt, ist sichere Ruh vor der Mühsal.
Auch erschaudere nicht vor der künftigen Speise der Tische;
Zeigt doch das Schicksal klar dir den Weg, es erscheint dir Apollo.

(3,388–395)

Die »laurentische Wildsau« und ihr Wurf, eine Marmorgruppe (2. Jh. n. Chr.) aus Lavinium zum Gedenken an die legendäre Gründung der Stadt durch Aeneas

Die Wildsau und ihr Wurf standen für die Latiner. Ursprünglich scheinen die dreißig Ferkel als die dreißig Völker verstanden worden zu sein, die nach der Überlieferung den 338 v. Chr. von den Römern schließlich besiegten Latinischen Bund gebildet hatten; die Interpretation der dreißig Ferkel als dreißig Jahre war anscheinend der Beitrag des Fabius Pictor, motiviert möglicherweise

Detail eines Marmorreliefs. Zu sehen sind Aeneas, Ascanius und die weiße Wildsau, die das Zeichen für das Ende ihrer Irrfahrten ist

durch die Tatsache, daß die Loyalität einiger latinischer Volksgemeinschaften Rom gegenüber während des Krieges gegen Hannibal nachließ. Vergil erzählt die fortentwickelte römische Version des Mythos von dem Wildschwein und den Frischlingen, nach der es sich bei der Stelle, an der die weiße (lateinisch: *alba*) Wildsau Frischlinge wirft, um den Ort handelt, wo später Alba Longa erbaut wurde. Den Anspruch, Mutterstadt der Latiner zu sein, erhob allerdings auch eine andere Stadt: Lavinium behauptete, von Aeneas selbst gegründet worden zu sein; er habe die Penaten, die Schutzgötter des römischen Volkes, denen die höchsten Beamten Roms einmal im Jahr einen feierlichen Besuch abstatteten, dorthin gebracht. Nach Berichten des griechischen Historikers Timaios stand um etwa 300 v. Chr. eine Bronzeabbildung der Wildsau und ihres Wurfs auf dem Marktplatz von Lavinium; wie lange sie sich dort befand, ist unbekannt, doch waren noch zu Varros Zeit Spuren davon vorhanden. Für die Römer indes wies das Tier Aeneas den Weg zu *ihrer* Mutterstadt, Alba Longa – und half ihnen, ihren Anspruch auf traditionelle Vorherrschaft über das übrige Latium zu rechtfertigen.

Beide Prophezeiungen, nämlich daß die Trojaner ein weißes Wildschwein vorfinden und Tische essen würden, gingen tatsächlich in Erfüllung. Nach einem Besuch bei der Sibylle von Cumae in Süditalien segelten die Trojaner nach Norden und in die Tibermündung hinein, wo sie an Land gingen, um sich eine Mahlzeit zuzubereiten. Sie waren so hungrig, daß sie, nachdem alles andere verzehrt war, auch die dünnen Weizenkuchen aufzuessen begannen, die ihnen – auf einen Wink Iuppiters – als Unterlage für die Speisen gedient hatten. Da rief Aeneas' Sohn: »Ha, wir verzehren sogar schon die Tische.« (7,116)

Jeder Römer würde das als Omen erkennen. Aeneas war sofort klar, daß sich die Prophezeiung erfüllt hatte. Am nächsten Tag wählte Aeneas unter seinen Leuten hundert Gesandte aus, die den König dieser Gegend, Latinus, aufsuchen sollten. Dieser hatte eben erst durch einen Orakelspruch seines Vaters, des Gottes Faunus, erfahren, daß seine Tochter Lavinia einem Fremden vermählt werden solle, und er hieß Aeneas als den verheißenen Schwiegersohn mit seinen Gefährten willkommen. Die Absicht des Königs, seine Tochter dem Trojaner Aeneas zur Frau zu geben, führte indes zu den kriegerischen Auseinandersetzungen und Schwierigkeiten, die diesen ebenfalls vorhergesagt worden waren: Der Rutulerfürst Turnus hatte nämlich, unterstützt von Lavinias Mutter, bereits um die Königstochter geworben. Auch Iuno mischte sich abermals ein: Mit Hilfe Allektos, einer der Furien, trieb sie die Königin dazu, sowohl Turnus als auch die Latiner gegen Aeneas aufzuhetzen. Krieg brach aus.

Im Traum sah Aeneas den Vater Tiber: »Hier empfängst du ein sicheres Haus, hier sichre Penaten!« (8,39) verkündete der Flußgott, wiederholte die Prophezeiung von dem Wildschwein und den dreißig Frischlingen und fügte hinzu, daß Ascanius nach dreißig

Jahren eine Stadt namens Alba erbauen werde. Um die gegenwärtigen Schwierigkeiten zu überwinden, müsse Aeneas jedoch zunächst König Euander, einen Griechen aus Arkadien, der sich mit seinem Volk in Italien niedergelassen hatte, zum Bundesgenossen im Kampf gegen die Latiner gewinnen.
Während Aeneas zwei Schiffe seiner Flotte ausrüstete, die sich auf den Weg zu Euander machen sollten, erblickten die Trojaner plötzlich am Ufer das verheißene weiße Wildschwein. Aeneas opferte das Tier samt den Jungen der Göttin Iuno, ehe er mit seinen Gefährten den Tiber flußaufwärts ruderte, bis sie Euanders Gebiet erreichten.

Die Ankunft des Aeneas in Pallanteum, dem Ort, an dem später Rom erbaut werden sollte (Vergil, Aeneis, *8. Gesang). Zeichnung von Claude Lorrain (1675), der viele Episoden aus der* Aeneis *illustrierte*

Dies war eben der Tag, an dem der Arkaderkönig
Festliche Opfer dem Sohn Amphitryons [Hercules] weiht und den Göttern
Vor seiner Stadt in dem Hain; auch Pallas, sein Sohn, war bei ihm dort,
Auch der arme Senat und die edelsten Jünglinge brachten
Weihrauch dar, und es dampfte warmes Blut auf den Altären.
(8,102–106)

Euander nahm Aeneas freundlich auf, eingedenk, wie Vergil berichtet, des Besuches, den Anchises und Priamus einst Arkadien abgestattet hatten. Und da Euanders Stadt an einem Ort lag, den die Römer dann als Palatinischen Hügel kannten, hatte Aeneas nun den Boden betreten, auf dem dereinst Rom erbaut werden sollte.

Rom vor Aeneas

Euander war der Sohn der griechischen Nymphe Themis, die von den Römern Carmenta genannt wurde. Er und seine Gefährten hatten Griechenland etwa sechzig Jahre vor dem Trojanischen Krieg verlassen. Die von ihm gegründete Stadt nannte er, nach seiner Heimatstadt in Arkadien, Pallanteum, woraus die Römer »Palatium« machten. Auf ihn sollen das Luperkalien Fest und auch das Fest zu Ehren des Hercules zurückgehen.
Obwohl Euander auf dem Boden des späteren Rom lebte, war er nicht der Gründer Roms, sondern lediglich der Gründer einer Siedlung auf Roms Zitadelle, dem Palatium (die in der Sage um die Gründung durch Romulus keine Rolle spielt). Auf dem Weg vom Opferhain in die Stadt machte er Aeneas auf Interessantes aufmerksam; er führte ihn zum Carmentalischen Tor und zum Altar der Carmenta, zeigte ihm den Tarpeischen Felsen, das Kapitol – damals ein unzugänglicher wald- und dornenbedeckter Hügel, auf dem indes ein Gott wohnte, »doch welcher, ist ungewiß« (8,352) –, das Lupercal, Ianiculum und Saturnia sowie das Argi-

letum – alles Orte, die für einen Römer einen besonderen Klang hatten.

Das Argiletum war, im historischen Rom, das Buchhändlerviertel (worauf vielleicht Vergil scherzhaft anspielt). Der Name bedeutet schlicht »Tongrube«, wurde aber, da es ohne Sage nun einmal nicht ging, als »wo Argos zu Tode kam« (*Argi letum*) ausgelegt. Tarpeia und ihrem Felsen werden wir später wiederbegegnen: Sie fand ein schlimmes Ende. Das Lupercal, die »Wolfsgrotte«, so erklärt Euander, sei nach dem arkadischen Gott Pan vom Lykaios benannt (in Arkadien gab es einen Berg Lykaios). Die Erwähnung des lykäischen Pan macht stutzig: König Euander selbst ist auch nur eine literarische Erfindung von Schriftstellern, die bemüht waren, Verbindungen zwischen Rom und griechischen Traditionen ausfindig zu machen. Euander war der Name einer niedrigen Gottheit, die in Arkadien in Verbindung mit Pan verehrt wurde. Livius und Tacitus zufolge führte er das Alphabet in Italien ein (irgend jemand hatte es ja schließlich getan, und er war ein Einwanderer unter den einheimischen Italikern).

Carmenta ist eine gleichermaßen geheimnisvolle Gestalt. Obwohl sie eine eigene Priesterin und einen Altar in der Nähe eines der Stadttore Roms hatte, das ihren Namen trug, und an zwei Tagen im Januar ein Fest ihr zu Ehren gefeiert wurde, verband sich mit ihr, wie mit den meisten römischen Gottheiten, keine Geschichte. Aufgrund ihres Namens galt sie Schriftstellern, die sie entweder als Euanders Mutter oder als seine Gemahlin einordneten, als Seherin, die Roms künftige Größe prophezeit habe. Ovid indes erfindet, sich auf falsche Etymologie stützend, unbekümmert eine ganz andere Version, die dem Kult der (auch als Göttin der Geburt geltenden) Carmenta angemessen war. Varro behauptete, es gebe zwei Carmenten, nämlich eine Postverta (»rückwärts gerichtet«) und eine Prorsa (»vorwärts gerichtet«), unter Bezug auf die Position, in der das Neugeborene das Licht der Welt erblickte. Hier nun Ovids Geschichte:

Früher fuhren in Ausonien die Mütter auf Wagen (*carpenta*), die ebenfalls, so meine ich, den Namen von der Mutter des Euander bekommen haben. Später nahm man ihnen das Vorrecht; da beschlossen die Mütter alle, den Stamm ihrer undankbaren Männer durch keine Nachkommenschaft zu erneuern, und sie entfernten, um nicht zu gebären, aus ihrem Leibe die wachsende Frucht blindlings durch einen heimlich ausgeführten Schlag. Die Väter haben, wie es heißt, das böse Wagnis ihrer Frauen hart gescholten, haben ihnen aber auch das Recht zurückgegeben, das sie ihnen genommen hatten, und sie stifteten der Mutter aus Tegea [Tegea liegt in Arkadien] jetzt ein zweites Fest, für die Geburt der Knaben und Mädchen. – Was von Leder angefertigt ist, darf nicht in dieses Heiligtum gebracht werden, damit die Dinge, die von Getötetem kommen, die reinen Altäre nicht

Ein carpentum, *von Mauleseln gezogen. Die Münze soll daran erinnern, daß Iulia Augusta (so wurde Augustus' Gemahlin Livia nach dem Tod ihres Gatten genannt) die Ehre, auf einem* carpentum *zu fahren, im Jahr 22 n. Chr. gewährt wurde*

beflecken. – Wenn du alte Bräuche liebst, dann tritt hinzu, wenn einer betet: Du wirst Namen kennenlernen, die dir vorher nicht bekannt waren. Man wendet sich an Porrina und an Postverta, sei es, daß sie Schwestern der Göttin von Mainalos [erneuter Bezug auf Arkadien], sei es, daß sie Gefährtinnen ihrer Flucht sind. Wie es heißt, besang die eine, was vor langer Zeit [porro] geschehen ist, die andere, was sich später [postmodo] ereignen sollte.

(*Fasten* 1,619–636)

Tatsächlich steckt in alldem ein wenig »Geschichte«, auch wenn die Sache nichts mit Carmenta zu tun hat. Im Jahr 394 v. Chr. sollen die verheirateten Frauen der Stadt ihren Goldschmuck zu einem Dankopfer für Apollo beigesteuert haben, das nach der Einnahme von Veji in Delphi dargebracht wurde. Zur Belohnung erhielten sie das Vorrecht, jederzeit *carpenta* benutzen zu dürfen. Während des Zweiten Punischen Krieges wurde der Gebrauch solcher Wagen per Notstandsgesetz (215 v. Chr.) beschränkt: sie durften nur noch bei religiösen Feiern benutzt werden. Dieses Gesetz wurde zwanzig Jahre später wieder aufgehoben, obgleich die Matronen zu keinen drastischeren Schritten griffen, als mit Straßendemonstrationen die vorgeschlagene Aufhebung zu unterstützen. Wesentlich später versuchte dann Iulius Caesar Roms Verkehrsprobleme zu mildern, indem er den Gebrauch von *carpenta* nur noch den Vestalinnen und den wichtigsten Priestern gestattete.

Aeneas und Karthago

In den ersten sechs Büchern der *Aeneis* begleiten wir Aeneas auf seinen (Irr-)Fahrten durch die Mittelmeerländer, die Vergil Gelegenheit geben, seinen Helden sowohl absonderliche und wunderbare Abenteuer gleich jenen des Odysseus in Homers Epos erleben zu lassen als auch immer wieder griechische Mythen einzubauen. Stets aufs neue wird Aeneas während dieser Jahre, in denen es ihm nicht vergönnt ist, Italien zu erreichen, von Orakelsprüchen, Weissagungen und Traumgesichten weitergetrieben. Obwohl Vergil von Anfang an keinen Zweifel daran läßt, daß Aeneas das Ziel seiner Reise erreichen und die Kette von Ereignissen auslösen werde, die dann zur Gründung von Alba Longa und später Rom selbst führen würden, bleibt die Spannung dank der Schikanen und Hindernisse, die Iuno sich immer wieder einfallen läßt, erhalten. Die zermürbenden Schwierigkeiten, die die Göttin Aeneas in den Weg legt, waren denn auch keineswegs auf die Zeit auf See beschränkt; wie wir gesehen haben, intrigiert sie auch nach seiner Ankunft in Italien und seiner Verlobung mit der Tochter des Königs Latinus weiter gegen ihn und läßt einheimische Völker zum Krieg gegen ihn aufhetzen.

Für Iunos unversöhnlichen Haß auf die Trojaner werden zwei Gründe genannt. Zum einen hat Iuno noch immer nicht verziehen, daß der trojanische Königssohn Paris Aeneas' Mutter, Venus, und nicht sie, in einem Schönheitswettbewerb der Göttinnen zur Siegerin erkoren hatte. Vergil fügt einen weiteren, der römischen Geschichte entnommenen Grund hinzu: Iunos Vorliebe für Karthago, gegen das Rom zwischen 264 und 146 v. Chr. drei große Kriege (die »Punischen Kriege«) austrug. Natürlich wurde Karthago von den Phöniziern nicht zu der Zeit gegründet, wo der Trojanische Krieg stattgefunden haben soll, sondern etwa zur gleichen Zeit wie Rom, nämlich über vier Jahrhunderte später. Nach Vergil befand sich die Stadt indes in Bau, als Aeneas an der tunesischen Küste strandete. Während er die Gegend erkundete, in die es ihn verschlagen hatte, trat ihm seine Mutter Venus, als junge Jägerin verkleidet, entgegen und erzählte ihm von der neuen Stadt und deren Königin.

Der Name dieser Königin war Dido; ihr Gatte Sychaeus war von ihrem Bruder Pygmalion, dem König von Tyros, ermordet worden. In einem Traum enthüllte ihr der Schatten ihres Gemahls das Verbrechen, das an ihm begangen worden war, drängte sie zur Flucht und verriet ihr auch, wo sie einen verborgenen Schatz finden würde, den sie mitnehmen sollte. Dido sammelte eine Gruppe von Getreuen um sich, die mit der Herrschaft des Tyrannen unzu-

*Venus, als Jägerin verkleidet, trifft Aeneas in der Nähe von Karthago (*Aeneis*, 1. Gesang). Zeichnung von Claude Lorrain (1678)*

frieden waren, ließ den Schatz auf mehrere Schiffe im Hafen verladen und segelte nach Afrika, wo sie den Einheimischen Land abkaufte, um eine Stadt zu gründen. Bei Aeneas' Ankunft waren sie und ihre Landsleute dabei, diese neue Stadt, Karthago, zu erbauen.

Um die Sicherheit ihres Sohnes zu gewährleisten, sorgte Venus dafür, daß sich Dido unsterblich in Aeneas verliebte. Iuno nahm dies stillschweigend hin in der Hoffnung, Aeneas würde in Karthago bleiben und damit das Schicksal, das ihm bestimmt war und das einst zur Gründung Roms führen sollte, nicht erfüllen. Doch das Schicksal läßt sich seine Pläne nicht durchkreuzen. Iuppiter sandte seinen Boten Merkur, um Aeneas an seine Pflichten der Nachwelt gegenüber zu erinnern und ihn zum Aufbruch zu mahnen. Es kam zu einer schrecklichen Szene zwischen Aeneas und

Dido, in der die Königin ihn mit Vorwürfen überhäufte. Dennoch verließ er Karthago, Dido aber, als sie

[...] jetzt von der Burg das nahende Frühlicht
Tagen sah und die Flotte mit vollen Segeln hinwegziehen,
Leer den Strand und von Ruderern leer den Hafen erblickte,
Schlug sie sich dreimal und viermal im Schmerz an den Busen,
Raufte die goldenen Locken und sprach: »Ach, Iuppiter, fliehen
Darf er, und darf im eigenen Reich, ein Fremdling, mich höhnen?«

(*Aeneis* 4,586–591)

Zum Selbstmord entschlossen, verfluchte sie den Geliebten und seine Nachkommen mit den prophetischen Worten:

[...] Bleibt jenem verworfenen Haupte
Schicksalbestimmt, zu erreichen den Hafen und glücklich zu landen,
Heischt es Iuppiters Wille und ist dies Ziel ihm beschieden,
Dann, dann soll er, im Kriege bedrängt von mutigen Feinden,
Aus dem Land verjagt, den Armen des Iulus entrissen,
Betteln um Hilfe, der Freunde schreckliche Leichen erblicken
Soll auch, wenn er sich beugt entehrender Friedensbedingung,
Nicht genießen des Reichs und des süßen Lebens, er falle
Vor seiner Zeit, und grablos liege im Sande die Leiche!
Dieses erfleh ich und ströme mit diesem Seufzer mein Blut hin.
Dann, o ihr Tyrer, verfolgt diesen Stamm und des ganzen Geschlechtes
Künftige Brut mit Haß, bringt dies als Opfer der Sühnung
Meiner Asche. Nicht Liebe noch Bund sei zwischen den Völkern.
Möge aus meinem Gebein sich einst ein Rächer erheben,
Der mit Feuer und Schwert die dardanischen Siedler verfolge,
Jetzt so wie einst, zu welcherlei Zeit die Macht es gestattet.
Ufer sei stets dem Ufer und Flut den Fluten entgegen,
Waffen den Waffen, und ewig sie selbst und die Enkel im Kampfe.

(4,612–629)

Wollte Vergil, wie manchmal gefragt wird, seine Zeitgenossen damit auch an eine andere fremdländische Königin erinnern, die erst jüngst gegen Rom Krieg geführt hatte – an Cleopatra, die Geliebte des Marcus Antonius? Von ihr ist in der *Aeneis* nur kurz und wenig schmeichelhaft die Rede, nämlich bei der Beschreibung des von Vulcanus gefertigten Schildes, auf dem sie, umgeben von »mancherlei Göttern von seltsamer Art« (8,698) bei Actium die Flucht ergreift. Actium war ein leichter Sieg.
Wieviel von der Geschichte Vergils Erfindung ist, können wir nicht sagen. Timaios berichtet, Dido, noch immer um ihren toten Gemahl trauernd, habe Selbstmord begangen, um nicht zur Ehe mit einem libyschen König gezwungen zu werden. Naevius, der im dritten vorchristlichen Jahrhundert ein lateinisches Epos über den Ersten Punischen Krieg verfaßte, erwähnt Aeneas zwar, doch ist aus den überlieferten Fragmenten nicht zu ersehen, ob er ihn Karthago besuchen läßt. In den nicht erhalten gebliebenen *Antiquitates* des Varro nimmt sich Didos Schwester Anna, und nicht Dido selbst, aus Liebe zu Aeneas das Leben. Nichtsdestoweniger war es Vergils packende Erzählung von Didos tragischer Liebesgeschichte, die die Herzen eroberte.

Die *Aeneis* und Augustus: Die Aktualisierung der Sage

Der patriotische Mythos steht jedoch an erster Stelle. Am Beginn des Epos präsentiert Vergil, mit Anklängen an Homers *Odyssee*, Aeneas als einen Mann mit einer Mission: »Arma virumque cano« –:

> Singen will ich von Kämpfen und von dem Mann, der zuerst von
> Trojas Gestade, vom Schicksal verbannt, zu Laviniums Küste,
> Nach Italien kam; über Wasser und Lande verschlug ihn
> Göttergewalt, aus unversöhnlichem Grolle der grimmen
> Iuno; der viel auch im Kriege erlitt, bis die Stadt er gegründet,

Götter nach Latium brachte, woher das Latinergeschlecht ward,
Albas Urväter auch und du, hochragende Roma.

(*Aeneis* 1,1–7)

Dreimal weist Vergil in der *Aeneis* auf die große Zukunft hin, die Rom bestimmt ist. Im 1. Buch unterrichtet Iuppiter seine Tochter Venus über das Schicksal Roms, um ihre Sorgen und Befürchtungen zu zerstreuen. Zwar wird Aeneas, so prophezeit er, drei Jahre, nachdem er siegreich aus dem Krieg in Latium hervorgegangen ist und seine Männer in der neuen Heimat angesiedelt hat, sterben,

Doch Ascanius wird, von nun an Iulus geheißen
(Ilus hieß er, solange geblüht noch Ilion [Troja] hatte),
Dreißig Sonnenkreise der mondumrollenden Jahre
Dort als Herrscher erfüllen, das Reich von Laviniums Sitze
Nach Alba Longa verlegen und dieses mit Mauern beschützen.
Drei Jahrhunderte lang wird dort verbleiben die Herrschaft
Unter Hektors Geschlecht, bis die königliche Vestalin,
Ilia, schwanger vom Mars, einst Zwillingsknaben geboren.
Stolz wird prangen im dunklen Felle der säugenden Wölfin
Romulus, erben das Reich und Mauern des Mars dort errichten
Und wird das Volk nach dem eigenen Namen »Römer« benennen.
Diesem setze ich weder ein Ziel noch Frist für die Herrschaft.
Reich ohne Grenzen sei ihm beschieden. Die grollende Iuno,
Die mit Schrecken quält die Erde, das Meer und den Himmel,
Wird zum Besseren wenden den Sinn und mit mir dann gemeinsam
Schützen die Römer, die Herren der Welt, das Volk in der Toga.
So ist's bestimmt! Einst kommen im Laufe der Jahre die Zeiten,
Wo des Assarakus [Aeneas' mythischer Urgroßvater] Haus das berühmte Mykene und Phthia
Unter sein Joch sich beugt und siegreich schaltet in Argos
[d. h., die Nachkommen der Trojaner werden die Griechen besiegen].

Kamee mit dem Kopf des vergöttlichten Augustus

Aus dem erlauchten Geschlecht entspringt der trojanische Caesar,
Der bis zum Ozean führt das Reich, den Ruhm zu den Sternen,
Iulius heißt er, ein Name, vom großen Iulus erhalten.
Ihn, mit der Beute aus Osten beladen, empfängst du
Sicher im Himmel dereinst, zu ihm auch flehen Gebete.
Dann wird sanfter die rauhere Zeit nach beendeten Kriegen,
Vesta und Fides, die greisen, Quirinus mit Remus, dem Bruder,
Geben Gesetz. Durch Eisen versperrt und verschließende Riegel
Sind die grausigen Pforten des Krieges. Auf schrecklichen Waffen
Hockt des Krieges Furie, am Rücken gebunden mit hundert
Ehernen Fesseln, grausig knirschend mit blutendem Maule.
(1,267–296)

Ein weiterer, bereits erwähnter, Hinweis ist die Beschreibung des Schildes im 8. Buch. Davor wird in Buch 6 die Essenz von Iuppiters Prophezeiung wiederholt. Nach der überstürzten Abreise aus Karthago gelangte Aeneas zunächst nach Sizilien und landete dann endlich in Italien, und zwar in der Nähe von Cumae, wo sich ein Eingang zur Unterwelt befand. Geführt von der Sibylle von Cumae, stieg er in den Orcus hinab, um seinen verstorbenen Vater zu besuchen, der ihn einen Blick in die glorreiche Zukunft Roms tun läßt:

Nunmehr vernimm, welch Glanz einst folge dem Dardanerstamme,
Welche Enkel erwarten du darfst von italischer Abkunft,
Seelen, umleuchtet vom Ruhm, die unseren Namen beerben.
(6,756–758)

Den Reigen eröffnen die Könige von Alba Longa, der von Aeneas' Sohn Ascanius gegründeten Stadt; beschlossen wird er von den berühmten Helden aus Roms republikanischer Vergangenheit; dazwischen treten Roms Gründer Romulus und sein »zweiter Gründer« Augustus auf. Dank Romulus' ursprünglicher Gründung wird Rom Größe erlangen und volkreich werden. Dann lenkt Anchises die Aufmerksamkeit seines Sohnes auf Kaiser Augustus.

Dies ist der Mann, er ist's, der so oft vom Schicksal verheißne
Caesar Augustus, des Göttlichen Sohn, der das goldene Alter
Wieder nach Latium bringt, dort, wo vor Zeiten Saturnus
König gewesen. Bis zu Garamanten und Indern und weiter
Dehnt er die Grenze des Reichs, daß Land liegt außer den Sternen,
Außer den Bahnen von Sonne und Jahr, wo der Träger des Himmels,
Atlas, wendet die Achse, geheftet an brennende Sterne.
Jetzt schon erbeben vor seinem Kommen die kaspischen Reiche,
Fürchtend die Sprüche der Götter, erschaudert das Land des Maeotis [am Asowschen Meer],
Und die Mündungen zittern des siebenarmigen Niles.
Hercules selbst durchwanderte nicht so viele der Länder,
Ob Erimanthus' Wälder er schützte, ob er mit dem Bogen
Schreckte die Schlange und schoß die ehernfüßige Hindin;
Bacchus nicht, der die Tiger von Nisas erhabenem Gipfel
Treibt und mit Rebenzügeln das Joch im Triumphe umwindet.
(6,791–805)

Augustus wird hier mit zwei Göttern verglichen, die beide erst spät in den Kreis der Olympier Aufnahme gefunden hatten und die beide Nachkommen des Zeus von sterblichen Frauen waren (auch Romulus hatte einen göttlichen Vater). Zudem wurde Herakles im griechischen Mythos als Wohltäter der Menschheit, der die Welt von so vielen Unholden und Ungeheuern befreite, zum Gott erhoben. Ähnliche Vergleiche wurden von anderen zeitgenössischen Dichtern, wie etwa Horaz, angestellt. Angedeutet werden sollte damit, daß Augustus, sofern nicht ohnehin schon ein Gott, es verdiene, einer zu sein.

Das mag poetische Schmeichelei sein, doch deckt sie sich teilweise mit der offiziellen Propaganda. Augustus wird »des Göttlichen Sohn« genannt. Iulius Caesars Familie erhob stets Anspruch darauf, von Venus und Aeneas' Sohn Iulus (= Ascanius) abzustammen. Augustus, eigentlich nur Iulius' Großneffe (mütterlicherseits), erbte den Besitz seines Großonkels nach dessen Ermordung. Er nahm auch dessen Namen an – aus C. Octavius wurde C. Iulius Caesar (»Augustus« war ein Ehrenname, den er erst später erhielt) – und bezeichnete sich selbst als Iulius Caesars Sohn. Während der von Augustus veranstalteten Gedenkspiele zu Ehren Caesars erschien ein Komet am Himmel, und so wurde Iulius Caesar zum Gott erklärt, und sein »Sohn« nannte sich fortan *Divi filius*, »des Göttlichen Sohn«. Wie wir später noch sehen werden, wurde – in einer Version der Sage – auch Romulus in die Reihen der Götter aufgenommen (vgl. S. 62f.). Nach seiner Vergöttlichung wurde Iulius Caesar mit einer Krone dargestellt, deren Strahlen an Sonnenstrahlen erinnerten. Als Augustus im Jahr 14 n. Chr. starb, schwor ein ehemaliger Prätor, er habe nach der Einäscherung des Leichnams die Gestalt des Kaisers in den Himmel auffahren sehen. Daraufhin wurde auch Augustus offiziell zum Gott erklärt und fortan mit der Strahlenkrone dargestellt.

Gründungsväter: Romulus und die Könige von Rom

Schuf Vergil die berühmteste Schilderung der Abenteuer und Fährnisse des Aeneas und seiner Ankunft in Italien, so stammt der bekannteste Bericht über die Gründung Roms von Livius. In ihren wesentlichen Zügen galt die von ihm vorgelegte Version bereits zu seiner Zeit als die »autorisierte« Geschichte, obgleich griechische und römische Schriftsteller in der Vergangenheit zahlreiche andere Versionen geboten hatten. Von diesen ist, abgesehen von Äußerungen über Namen und Abstammung der Gründer, allerdings nichts überliefert. Einfach genial ist die Erklärung, der Palatin habe ursprünglich – wegen der enormen Körperkraft seiner Ureinwohner – Valentia geheißen (das lateinische *valere* bedeutet ›gesund, kräftig sein‹); als dann Euander und Aeneas kamen, sei der Name einfach als »Rhome« ins Griechische übersetzt worden.

In früheren Versionen wurden Aeneas oder aber Rhomus bzw. Rhome (die weibliche Form) als Gründer genannt, gelegentlich auch Romulus (ohne Remus), wobei Rhomus/Romulus ein Sohn des Zeus oder auch des Odysseus, des Latinus oder des »Italus« war und Rhome die Gefährtin, Gemahlin, Tochter oder Enkelin des Aeneas. Romulus und Remus (oder Romus) galten ursprünglich als Söhne oder Enkel des Aeneas und fanden eine erste Erwähnung in literarischen Quellen des vierten vorchristlichen Jahrhunderts; allerdings dürfte es bereits wesentlich früher mündliche Überlieferungen gegeben haben.

Die Personifikation Roms. Möbelornament aus Silber mit Vergoldung (4. Jh. n. Chr.)

Romulus, Remus und die Gründung Roms

Aeneas' Sohn Ascanius gründete Alba Longa und war der Ahnherr der Erbmonarchie, deren Könige (nach seinem Sohn Silvius) sämtlich den Beinamen »Silvius« trugen. Der elfte König dieser Dynastie war Proca, der seinerseits zwei Söhne hatte, Numitor und Amulius. Amulius setzte seinen älteren Bruder ab, ermordete dessen Söhne und riß die Herrschaft widerrechtlich an sich. Numitors Tochter Rea Silvia zwang er, Vestalin zu werden, um zu verhindern, daß Numitor ein männlicher Nachkomme geboren werde. Rea Silvia wurde indes vergewaltigt und brachte Zwillinge zur Welt. Als deren Vater gab sie Mars an, »sei es, weil sie es glaubte, sei es, weil es ehrenvoller erschien, wenn ein Gott der Urheber des Fehltritts war« (Livius 1,4,2). Der grausame Amulius ließ sie in Ketten legen und befahl, die Knaben im Tiber zu ertränken.

Die damit beauftragten Knechte führten den Befehl jedoch nachlässig aus: Anstatt die Neugeborenen zu töten, setzten sie sie in einem Korb auf dem Fluß aus. Der Korb trieb schließlich unter dem Ruminalischen Feigenbaum ans Ufer (es gab im alten Rom zwei Bäume, von denen es hieß, es handele sich um den bewußten Baum). Eine Wölfin nahm sich der ausgesetzten Kinder an und säugte sie. Schließlich fand ein Hirte mit Namen Faustulus die Zwillinge und nahm sie mit nach Hause, damit sich seine Frau Larentia um sie kümmere. Es gab Stimmen, die behaupteten, Larentia sei eine gewöhnliche Prostituierte gewesen – eine *lupa*, wie eine Dirne in der lateinischen Umgangssprache bezeichnet wurde. *Lupa* bedeutet aber auch ›Wölfin‹, die auf diese Weise Eingang in die Sage gefunden haben soll. Plutarch kannte noch eine andere Geschichte, die er in seinen *Parallelviten* mitteilt:

> Tarchetius, dem König von Alba, einem höchst ungerechten und grausamen Fürsten, wurde in seinem Hause ein seltsames Wunderzeichen zuteil: ein männliches Glied stieg aus dem Herd empor und stand dort viele Tage. Nun befand sich in Etrurien ein Orakel der Tethys, von dem wurde Tarchetius der Spruch

> überbracht, eine Jungfrau solle sich mit dem gespenstischen Glied begatten; sie würde dann einen Sohn gebären, der hochberühmt werden würde, durch Tapferkeit, Glück und Kraft ausgezeichnet. Tarchetius eröffnete den Spruch einer seiner Töchter und befahl ihr, sich von dem Phallos begatten zu lassen, aber sie weigerte sich und schickte statt ihrer eine Dienerin hinein. Als Tarchetius das erfuhr, wurde er zornig und setzte beide Frauen gefangen, um sie zu töten, aber da ihm Vesta im Traum erschien und ihm die Hinrichtung verbot, befahl er nun den Mädchen, in der Haft ein Gewebe herzustellen; wenn sie damit fertig wären, würden sie verheiratet werden. So webten sie den Tag über, aber nachts kamen andere Frauen auf Befehl des Tarchetius und lösten das Gewebe wieder auf. Als dann die Dienerin von dem Phallos Zwillinge gebar, übergab Tarchetius sie einem gewissen Teratius mit dem Befehl, sie zu töten. Der brachte sie ans Ufer des Flusses und setzte sie dort aus, und bald kam eine Wölfin und bot ihnen die Zitzen, und allerlei Vögel brachten Krumen und steckten sie den Säuglingen in den Mund, bis endlich ein Rinderhirt, der das voll Verwunderung beobachtete, sich getraute, heranzugehen und die Kindlein aufzunehmen. Auf solche Weise wurden sie gerettet, wuchsen heran, überfielen Tarchetius und gelangten zur Herrschaft.
>
> (*Romulus* 2)

Als Jugendliche gründeten (nach Livius' Version) Numitors Enkel zusammen mit einigen anderen jungen Männern eine Bande, die Räuber überfiel, ihnen ihre Beute abnahm und unter die Hirten verteilte. Dies ließen sich die Räuber nicht gefallen; während des Luperkalien-Festes legten sie einen Hinterhalt, brachten Remus in ihre Gewalt und erzählten Amulius, Remus und (der entkommene) Romulus seien für den Rinderdiebstahl auf Numitors Ländereien verantwortlich. Remus wurde Numitor zur Bestrafung übergeben und sollte hingerichtet werden.

In dieser verzweifelten Situation enthüllte Faustulus die Umstände, unter denen er die Säuglinge gefunden hatte; Numitor begann, zwei und zwei zusammenzuzählen, und die beiden jungen Männer

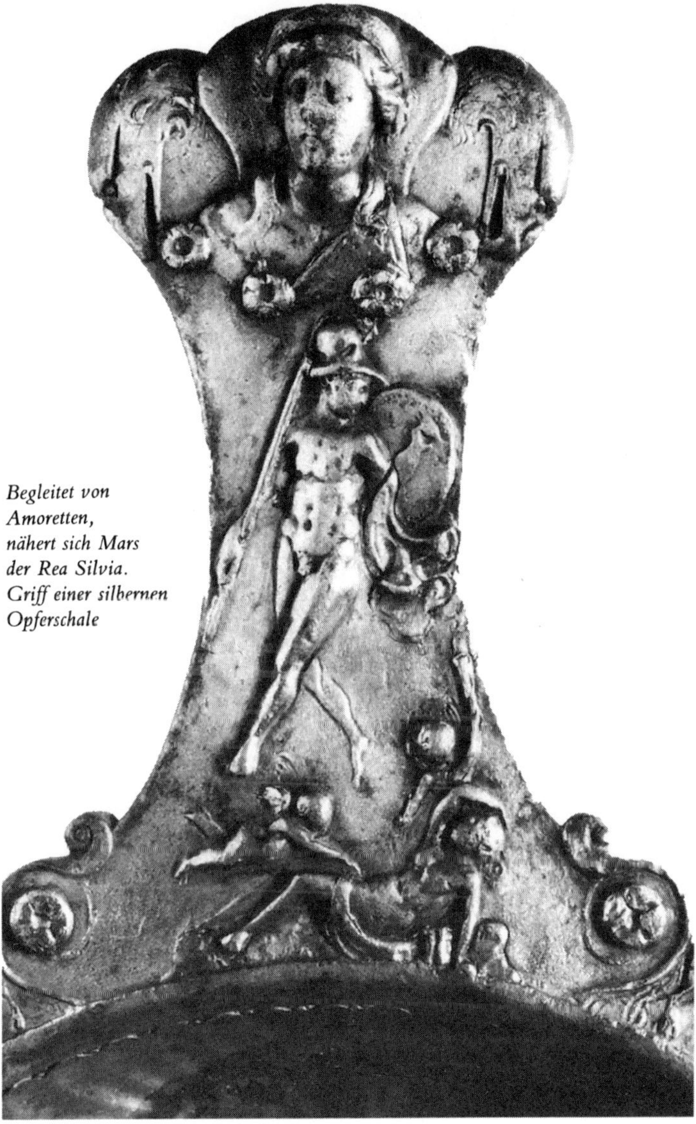

Begleitet von Amoretten, nähert sich Mars der Rea Silvia. Griff einer silbernen Opferschale

wurden als Numitors Enkel erkannt. Zusammen mit den anderen Hirten überfielen sie den Königspalast und töteten Amulius, während Numitor die Burg besetzte und als König wiedereingesetzt wurde.

Bald war Alba übervölkert, und die Brüder beschlossen, in der Nähe der Stelle, wo sie einst ausgesetzt worden waren, eine neue Stadt zu gründen. »Es stellte sich in der Folge aber diesen Entwürfen das ererbte Verhängnis – die Herrschsucht – entgegen« (Livius 1,6,4). Wie schon bei ihren Großvätern, kam es auch bei ihnen zum Streit darüber, wer der offizielle Gründer der Stadt sein und ihr seinen Namen geben sollte. Deshalb forderten sie die Götter, unter deren Schutz die Gegend stand, auf, ihnen durch die Auspizien (d. h. das Orakel des Vogelflugs) ein Zeichen zu geben. Romulus bezog auf dem Palatium Posten, Remus auf dem Aventin. Remus war der erste, der ein Zeichen erhielt: Sechs Geier waren am Himmel zu beobachten. Dann zeigte sich dem Romulus die doppelte Zahl. Die Anhänger der beiden Brüder erklärten ihren jeweiligen Favoriten zum König, denn für die einen bestand das göttliche Zeichen im früheren Zeitpunkt der Erscheinung, für die anderen in der größeren Anzahl der Vögel. Es kam zum Kampf, in dessen Verlauf Remus getötet wurde.

Es gibt jedoch auch eine andere Version, eine weiter verbreitete. Danach machte sich Remus über seinen Bruder lustig und sprang über die noch im Bau befindliche Stadtmauer. Romulus geriet darüber so in Wut, daß er seinen Bruder tötete: »So geschehe in Zukunft jedem, der meine Mauern überspringt!« (Livius 1,7,2)

Die Geschichte der Ursprungssage

Ganz offenkundig gab es zwei Traditionsstränge um die Gründung Roms, nämlich die »griechische« Überlieferung, die sich um Aeneas rankt, und die »latinische« Sage von Romulus und Remus (mit einer »etruskischen« Variante). Schließlich vermischten sich die beiden Überlieferungen, und im Laufe der Zeit wurde die unübersehbare zeitliche Lücke mit Erfindungen gefüllt (denen es bezeichnenderweise an Details mangelte), um der chronologischen Wahrscheinlichkeit Rechnung zu tragen. Die Archäologie widerlegt die Geschichte, nach der Rom eine in der fünfzehnten Generation der Dynastie von Alba Longa gegründete Kolonie sei: die frühesten Funde an beiden Orten stammen aus demselben Zeitraum. Die »griechische« Überlieferung reicht, wie wir gesehen haben, wenigstens bis ins fünfte vorchristliche Jahrhundert zurück. Die »kanonische« Version, die die Aeneas- und Romulus-Sage verbindet und eine erweiterte Chronologie aufweist, tauchte gegen Ende des 3. Jahrhunderts in den Schriften des Fabius Pictor auf und davor schon bei dem griechischen Schriftsteller Diokles von Peparethos.

Es ist jedoch noch immer umstritten, wann und warum die einheimische Version mit den Zwillingen aufkam. War es eine alte Sage, oder handelte es sich um eine späte literarische Erfindung?

Die Frage ist schwerer zu beantworten, als es zunächst den Anschein hat; denn viele Elemente der Geschichte, die wie traditionelle mythische Komponenten aussehen, sind uns aus den griechischen Mythen bestens bekannt; sie könnten also als Produkte griechischer literarischer Phantasie in die römische Fassung übernommen worden sein – die Vergewaltigung einer Jungfrau durch einen Gott; der Versuch eines Königs, einer Bedrohung seiner Herrschaft vorzubeugen, indem er das aus dieser Vergewaltigung hervorgegangene Kind beseitigen läßt; die Rettung des Kindes und sein Aufwachsen in bescheidenen Verhältnissen; vielleicht sogar die Zwillinge und der Brudermord.

Dies bedeutet nicht, daß der Kern der Geschichte, die Person des Stadtgründers, nicht genuin latinisch und altüberkommen sei. Die Verbindung zu Aeneas findet sich in der Archäologie Etruriens und in den Schriften der Griechen, und er ist auch mit Lavinium verknüpft. Die »römische« Überlieferung ist dagegen mit Alba Longa verbunden, das in historischer Zeit indirekt noch immer eine Art »religiöser Hauptstadt« für ganz Latium war. Eine der jährlichen Pflichten römischer Konsuln bestand in der Abhaltung des Latinerfestes auf dem *Albanus mons*, einem Berg, der zum Gebiet von Alba gehört hatte. Rom betrachtete sich selbst als latinische

Stadt; die Übernahme durch etruskische Könige war eine vorübergehende – und in den Augen der Römer bedauernswerte – Episode in ihrer Frühgeschichte, und zu gegebener Zeit eroberte Rom Etrurien.

Romulus war also ein »latinischer« Gründungsvater aus Alba Longa. Wann und warum erhielt er einen Zwillingsbruder? Ein Stadtgründer ist doch genug. Mehrere moderne Erklärungsversuche liegen vor: So sollen die Zwillinge im indoeuropäischen Schöpfungsmythos ihren Ursprung haben; sie wurden auch mit dem römischen Doppelkonsulat bzw. zwei frühen eigenständigen Gemeinden auf dem Palatin und dem Quirinal in Verbindung gebracht; ja, sie wurden sogar mit Kain und Abel verglichen. Aus jüngerer Zeit stammt die Vermutung, Remus sei erst spät und aus politischen Gründen der ursprünglichen Sage hinzugefügt worden.

Die Erfindung der Zwillinge

Die älteste erhaltene Darstellung der die Zwillinge säugenden Wölfin befindet sich auf der Rückseite eines Bronzespiegels aus dem späten 4. Jahrhundert v. Chr. Im Jahr 296 v. Chr. erhielt die Stadt Rom ein Denkmal. Die Plebejer-Brüder Gnaeus und Quintus Ogulnius, in jenem Jahr Magistrate, sorgten für die Verurteilung mehrerer Geldverleiher und benutzten den Anteil der Staatskasse an deren konfisziertem Vermögen dazu, den Iuppiter-Altar auf dem Kapitol zu verschönern und den Zugang zum Mars-Tempel zu verbessern. Außerdem ließen sie neben dem berühmten Feigenbaum in der Nähe des Palatin, *Ficus Ruminalis* genannt, eine Statue von der Wölfin, die die Kinder säugt, aufstellen. Etwa ein Vierteljahrhundert später tauchte das Motiv auf römischen Münzen auf.

Zwischen 367 und 296 v. Chr. vollzog sich in der römischen Regierung ein wesentlicher Wandel, an dem die Ogulnier nicht ganz unbeteiligt waren. Es kam zu einer Teilung der Macht zwischen den beiden Gruppen, die die Bürgerschaft Roms bildeten – zwischen den Patriziern (dem alten Adel) und den Plebejern. Remus, dessen Name im Lateinischen mit Langsamkeit in Verbindung gebracht wird, sei, so wurde vermutet, während dieser Phase in die Sage eingeführt worden, um die späte Beteiligung der römischen Plebejer an der Macht zu symbolisieren. Doch weshalb ihn töten?

Hier kann vielleicht die Archäologie helfen. 295 v. Chr. schlugen die Römer bei Sentium zwei ihrer erbittertsten Feinde, die Samniten und die Gallier. Ihren Sieg verdankten sie dem Opfertod des plebejischen Konsuls Publius Decius Mus, der sein Leben bewußt den Göttern weihte; er stürzte sich mitten unter die Feinde und

Faustulus, die Wölfin, die Zwillinge und der Feigenbaum. Silbermünze aus dem Jahr 140 v. Chr. (herausgegeben von Sex. Pompeius Fostlus)

wütete unter ihnen, bis er schließlich von ihnen getötet wurde. Auf dem Palatin stand ein Tempel der Victoria, der ein Jahr nach der Schlacht geweiht wurde. Unter den Fundamenten des Tempels befand sich ein frisches Grab – möglicherweise ein Menschenopfer. Der Tod des Remus mag als Verbindung dieser beiden für die Sicherheit der Stadt gebrachten Opfer in die Sage eingegangen sein. Nur ein Jahr später wurde dem als Quirinus zum Gott erhobenen Romulus ein Tempel geweiht (den Namen Quirinus teilte er übrigens mit Ianus, Mars, Iuppiter und Hercules).

Remus stirbt, und der überlebende Romulus wird zum Gott; auf diese Weise werden beide der Politik entzogen. Vielleicht handelte es sich um die Herausbildung eines Mythos, der die Aussöhnung zwischen Patriziern und Plebejern zementieren sollte.

All dies ist natürlich moderne Spekulation darüber, wie sich der römische Gründungsmythos entwickelt haben könnte, doch ist sie vielleicht nicht ganz aus der Luft gegriffen. Plinius der Ältere schrieb im 1. Jahrhundert n. Chr., vor dem Quirinus-Tempel hätten einst zwei Myrten gestanden, eine plebejische und eine patrizische. Der patrizische Baum blühte, während der Senat die römische Regierung beherrschte, dann aber verdorrte er, und der plebejische Baum blühte, »etwa zur Zeit des Bundesgenossenkrieges«, also 91–90 v. Chr. Die sechzig Jahre nach diesem Krieg, bis zur Schlacht von Actium, waren von zahlreichen politischen Konflikten gekennzeichnet, die mehr als einmal in Bürgerkriege ausarteten.

Die Schauplätze der Sage

Wie auch immer sich die Sage entwickelt haben mag, die Römer der klassischen Periode »wußten«, daß die wahre Geschichte die von den Zwillingen und der Wölfin war; schließlich hatten sie Belege dafür. Da war einmal das Lupercal, die Wolfsgrotte, am Fuße des Palatinischen Hügels. Der griechischen Überlieferung nach war sie das Heiligtum des arkadischen Gottes Pan Lykaios (»Wolfs-Pan«). Für die Römer galt es indessen als ausgemacht, daß diese Grotte nach ihrer berühmten Wölfin benannt war, und sie war auch der Ort, wo der Priester während der Luperkalien die Opfer darbrachte.

Nicht weit davon entfernt wuchs der Feigenbaum, die *Ficus Ruminalis*. *Ruma* oder *rumis* soll im Altlateinischen »Brust« bedeutet haben, und es gab eine Göttin der stillenden Mütter namens Rumina. Es war also ganz natürlich, daß der Feigenbaum mit seinem milchigen Saft der Wölfin und ihren Pfleglingen Schutz geboten hatte. Zur Zeit Ovids waren nur noch ein paar kümmerliche Überreste des Baumes auf dem Palatin zu sehen. Allerdings gab es noch eine *Ficus Ruminalis* in der Nähe des Forum Romanum (die im Jahre 59 n. Chr. verdorrte und dann erneut austrieb), doch ließ sich dies leicht erklären. Dieser Baum wuchs neben einem riesigen Stein (vermutlich ein Meteorit), der als heilig galt und dessen richtiger Name »Navius' Feigenbaum« lautete. Roms fünfter König, Tarquinius Priscus, beschloß nach einem Sieg über die Sabiner, die ursprünglich von Romulus ausgehobene Reiterei zu reorganisieren und durch neue Einheiten, die seinen eigenen Namen tragen sollten, zu verstärken. Attius Navius, ein berühmter Augur, wandte ein, dies dürfe nicht geschehen, ehe durch Vogelschau der göttliche Wille erfragt worden sei. Tarquinius, über dieses Ansinnen erbost, höhnte: »Nun denn, du Weissager, befrage deine Vögel, ob geschehen kann, was ich eben jetzt im Kopf habe!« Attius führte die Vogelschau durch und erklärte, »es werde ganz gewiß

Eine Vorstellung, wie die »Hütte des Romulus« ausgesehen haben mag, kann diese Terrakotta-Totenurne (8.–7. Jh. v. Chr.) vom Monte Albano in Form einer ländlichen Hütte vermitteln

geschehen«. Darauf sagte der König: »Nun, ich hatte dies im Sinn: Du wirst einen Wetzstein mit der Schere durchschneiden!« (Livius 1,36,4) – was jener jedoch ohne Zögern ausführte. Am Schauplatz dieses Vorfalls, neben der Treppe zum Senat, wurde ein Standbild des Attius errichtet und ein Wetzstein aufgestellt. Tarquinius ließ den Gedanken an die Reorganisation fallen (verstärkte die Reiterei aber zahlenmäßig). Nach jenem Wunder »erwuchs der Vogelschau und dem priesterlichen Stand der Vogelschauer eine solche Verehrung, daß in der Folge nichts im Krieg und im Frieden geschehen konnte, wenn vorher keine Vogelschau angestellt wurde: Volksversammlungen, Heeresaufgebot, Entscheidungen über wichtigste Fragen – all das wurde vertagt, wenn die Vögel es nicht gestattet hatten« (Livius 1,36,6). – Was den Feigenbaum betrifft, so meinten manche, es sei tatsächlich die *Ficus Ruminalis* gewesen, die Attius mit Hilfe seiner außergewöhnlichen Fähigkeiten auf das Forum verpflanzt habe.

Zu Augustus' Zeiten stand auf dem Palatinischen Hügel noch immer eine »Hütte des Romulus«. Es soll sich dabei um die Hütte des Faustulus gehandelt haben, in der Romulus seine Jugend verbracht, und um den Ort, von dem aus er den Vogelflug beobachtet hatte. Sie war aus Holz und Schilf gebaut und hatte ein Strohdach. Daß sie dennoch die Jahrhunderte überdauerte, war der Tatsache zu verdanken, daß die Römer die Verwüstungen, die Wetter und Zeit anrichteten, immer wieder behoben.

Romulus besorgt den Römern Bräute

Romulus hatte eine Stadt gegründet, »wobei man mehr auf Zuwachs für eine kommende Bevölkerung als für die damalige Menschenzahl baute« (Livius 1,8,4). Nun mußte er genügend Bewohner finden. Er errichtete eine Freistatt, die entflohenen Sklaven, Schuldnern und Verbrechern Asyl gewährte und eine große Zahl von Flüchtlingen aus Nachbarvölkern anzog. Diese Maßnahme löste das Problem jedoch nur für eine Generation, denn die Mehrzahl dieser Zufluchtsuchenden waren Männer. Es galt, an Nachkommen zu denken. So schickte Romulus Gesandte in sämtliche Nachbarstädte mit der Bitte um Bündnisse und Eheschließungen zwischen ihren Völkern, doch alle lehnten das Ersuchen ab; sie gaben den Gesandten den Rat mit auf den Weg, Rom solle doch auch eine Freistatt für Frauen einrichten, wenn sie welche bräuchten. Es mußte unbedingt etwas geschehen, wurden Roms junge Männer doch allmählich unruhig und aufgebracht. Also schmiedete Romulus einen Plan.

Er ließ ein Fest zu Ehren des Gottes Consus abhalten und lud die Nachbarvölker dazu ein. Begierig, die neue Stadt zu sehen, strömten die Menschen scharenweise herbei, und vor allem die Sabiner

Die Römer entführen die Sabinerinnen. Von L. Titurius Sabinus herausgegebene Münze (um 88 v. Chr.)

kamen zuhauf mit ihren Frauen und Kindern. Sie wurden von einheimischen Familien gastfreundlich aufgenommen und in der Stadt herumgeführt; dann begannen die Spiele. Als die Aufmerksamkeit der Besucher von dem gebotenen Schauspiel gefesselt war, bemächtigten sich auf ein Zeichen hin junge Römer der jungen Sabinerinnen und schleppten sie fort. In der Regel galt: »Wer zuerst kommt, mahlt zuerst«, doch hatten sich die Adligen natürlich schon vorher die hübschesten Mädchen ausgesucht, die sie sich von ihren Dienern bringen ließen.

Eine der schönsten Sabinerinnen wurde für einen Adligen namens Thalassius geraubt. Als dessen Diener immer wieder gefragt wur-

den, wem sie sie denn brächten, riefen sie, um nicht weiter behelligt zu werden, von sich aus: »dem Thalassius«, und darauf gehe die Sitte bei den Römern zurück, sich bei Hochzeiten »Talassio« zuzurufen. Der Grieche Plutarch merkt allerdings an, der Zuruf könne sich auch von dem griechischen Wort für ›spinnen‹ (sofern die Römer das Wort verwendeten) herleiten, denn als zwischen Römern und Sabinern wieder Freundschaft herrschte, kamen sie überein, die sabinischen Frauen sollten für ihre Gatten keine Arbeit verrichten außer Wollespinnen. (Später wurde das dann ein Scherz, als seien Frauen nur zum Spinnen da.) Und Bräute werden auch heute noch über die Schwelle getragen, weil die Sabinerinnen damals getragen werden mußten; sie hatten sich geweigert, den Schritt freiwillig zu tun.
Die Römer benahmen sich jedoch wie Gentlemen. Romulus versicherte den jungen Frauen, sie würden ordnungsgemäß geheiratet,

Die Sabinerinnen zwischen den Fronten, 1799 von Jacques-Louis David gemalt

respektvoll behandelt und in den Genuß aller Rechte und Güter kommen. Was indes den stärksten Eindruck auf sie machte und sie letztendlich besänftigte, war die beharrliche Behauptung der jungen Männer, sie hätten »cupiditate atque amore«, aus Leidenschaft und Liebe, gehandelt (Livius 1,9,16). Die Eltern der Geraubten waren jedoch unglücklich und entrüstet. Geführt von ihrem König Titus Tatius, belagerten die Sabiner Rom, und der Verrat einer jungen Römerin namens Tarpeia ermöglichte ihnen die Einnahme der römischen Burg (s. S. 97ff.). In der Folge lieferten sich Römer und Sabiner in den Sumpfgebieten zwischen Kapitolinischem und Palatinischem Hügel heftige Gefechte.

Schließlich meinten die geraubten Sabinerinnen eingreifen und dem Morden ein Ende bereiten zu müssen. Mutig traten sie zwischen die Kämpfenden und flehten sie an, das Gemetzel einzustellen:

> Wenn die gegenseitige Verwandtschaft, wenn der Ehebund euch zuwider ist, so richtet euer Wüten gegen uns! Wir ja sind die Ursache für den Krieg, wir der Wunden und des Mordes Anlaß für unsere Männer und Väter! Lieber wollen wir zugrunde gehen als ohne die einen oder die anderen von euch als Witwen oder Waisen weiterleben!
>
> (Livius 1,13,3)

Ihre Bitten hatten Erfolg. Die beiden Parteien versöhnten sich, Tatius und seine Sabiner zogen nach Rom und gliederten ihren Staat dem römischen ein.

Livius' Version betont die politische Seite, die Schaffung einer stabilen Gemeinschaft, und spielt die sexuelle Gewalt herunter. Ovid zieht die Geschichte bezeichnenderweise ins Frivole. Im ersten Buch der *Liebeskunst* (»Wo sind Mädchen zu finden?«) empfiehlt er die Menschenansammlung bei Spielen und im Theater als Revier, das »ergiebiger ist, als du es in deinen kühnsten Träumen erhoffst« (1,90) und in dem die Jagd auf Mädchen ein geheiligter Brauch sei, seit Romulus sie mit dem Raub der Sabinerinnen begonnen habe.

Romulus' Ende

Romulus herrschte fast vierzig Jahre lang, obwohl er beim gemeinen Volk und den Soldaten beliebter war als beim Senat (zumindest behaupteten dies später jene Annalisten, die in der Politik für die Popularen eintraten). Eines Tages unterzog Romulus seine Truppen auf dem Marsfeld (in der Gegend, wo sich heute das Pantheon befindet) einer Musterung. Während eines heftigen Unwetters, das sich plötzlich mit lautem Donner entlud, umhüllte ihn eine dichte Wolke und entzog ihn den Blicken der Versammelten. Danach blieb er verschwunden. Einige der Senatoren, die während des Vorfalls in seiner Nähe gestanden hatten, erklärten, der Sturm habe ihn »sublimen«, »in die Höhe«, entführt, doch gab es auch Leute, die hinter vorgehaltener Hand behaupteten, er sei von den Senatoren in Stücke gerissen worden. Die Soldaten huldigten ihm als »König und Vater der Stadt Rom« und als Gott Quirinus. Ein Albaner, der sich an diesem Tag in Rom aufhielt, unternahm den nötigen Schritt, um die Glaubwürdigkeit der Apotheose zu gewährleisten und das Volk in seiner ängstlichen Unruhe und Feindseligkeit gegenüber den Senatoren zu besänftigen. Dieser Mann namens Iulius Proculus (womit das Geschlecht der Iulier wieder ins Spiel kommt), wandte sich an die Versammlung:

> »Quiriten«, sagte er, »heute bei Tagesanbruch ist mir Romulus, der Vater dieser Stadt, plötzlich vom Himmel herab erschienen und entgegengetreten. Als ich durch und durch von Schrecken erfüllt und voller Ehrfurcht dastand und inständig bat, ihm ins Angesicht schauen zu dürfen, sprach er: ›Geh und künde den Römern, die Himmlischen wollten, daß mein Rom die Hauptstadt des Erdkreises sei; deshalb sollen sie das Kriegswesen pflegen und sollen wissen und dies den Nachkommen weitergeben, daß keine menschliche Macht den römischen Waffen widerstehen könne.‹ So sprach er«, sagte Iulius, »dann entschwand er in die Höhe.«
>
> (Livius 1,16,6–8)

Damit zerstreute Iulius Proculus bei Volk und Heer die letzten Zweifel, daß Romulus in den Kreis der Unsterblichen aufgenommen worden sei.

Quirinus wurde schon früh auf dem Quirinal verehrt, und auch einen *flamen*, einen Sonderpriester, hatte er; ein eigener Tempel wurde ihm allerdings erst am Beginn des dritten vorchristlichen Jahrhunderts errichtet. In klassischer Zeit hielten einige Römer (da es eine sabinische Stadt namens Cures gab) Quirinus für einen sabinischen Gott, glaubten, der Quirinal sei nach einer alten sabinischen Siedlung, die es dort gegeben habe, benannt, und »Quiriten« als Bezeichnung für das römische Volk leite sich von der Eingliederung der Sabiner in die Bürgerschaft her.

Roms Könige

Roms nächster König war ein Sabiner, vom Volk gewählt und vom Senat bestätigt. Er hieß Numa Pompilius und war bekannt für seine Frömmigkeit und sein Wissen um religiöse Riten und Bräuche. Später galt er den Römern nicht nur als König, sondern auch als Philosoph, und einige Griechen behaupteten (entgegen aller chronologischen Wahrscheinlichkeit, wenn es sich denn bei Numa tatsächlich um eine historische Persönlichkeit gehandelt hätte), er sei ein Schüler des Pythagoras gewesen. Bemüht, die Gedanken der Römer von Krieg und Gewalt abzulenken und »das rauhe Volk durch Entwöhnung vom Waffendienst gesitteter« zu machen (Livius 1,19,2), ergriff Numa zahlreiche Maßnahmen, die Frieden und Gottesfurcht fördern sollten: er schuf neue Priesterkollegien, reformierte den Kalender und führte neue religiöse Zeremonien für den Gottesdienst ein. All dies tat er, so wenigstens behauptete er, auf Geheiß einer Göttin, Egeria, seiner (zweiten) Gattin und Beraterin, die ihn bei nächtlichen Zusammenkünften in religiösen Dingen unterwies. Um den Göttern zu entlocken (*elicere*), welche Vorzeichen zu sühnen seien und wie drohendes Unheil abgewendet werden könne, errichtete er dem Iuppiter Elicius auf dem Aventin einen Altar und befragte den

Gott mit Hilfe der Auspizien. Numa erfuhr von Iuppiter das richtige Sühnopfer für einen Blitzstrahl. Einen Gott dazu zu bewegen, sein Wissen preiszugeben, ist kein leichtes Unterfangen, doch Numa zeigte sich Iuppiter an Schlauheit ebenbürtig. Ovid erzählt uns in den *Fasten* (3,329–348), daß die Baumwipfel auf dem Aventin erzitterten und die Erde sich unter dem Gewicht des Gottes senkte. Das Herz des Königs schlug wild, er wurde leichenblaß, die Haare standen ihm zu Berge. Als er sich wieder gefaßt hatte, bat er ihn:

> »Gib ein sicheres Mittel zur Entsühnung für den Blitz, König und Vater der Götter im Himmel, wenn ich deinen Altar je mit reiner Hand berührte und auch diese Bitte eine fromme Zunge spricht.« Er nickte ihm Gewährung für sein Gebet, verbarg aber die Wahrheit durch ein dunkles Rätsel und erschreckte Numa durch eine doppeldeutige Rede:
> »Opfere ein Haupt«, sprach er; der König antwortete ihm: »Ich will gehorsam sein. Ein Zwiebelkopf, aus meinem Garten ausgegraben, soll geopfert werden.«
> »Den Kopf eines Menschen will ich«, fügte Iuppiter hinzu. »Du sollst«, sprach Numa, »sein Haar erhalten.« Doch Iuppiter forderte ein Leben. Numas Antwort lautete: »Das eines Fisches.«
> Unter Lachen sagte Iuppiter: »Mach, daß du damit meine Blitze sühnst, Mensch, der du dich selbst vor einem Wortwechsel mit Göttern nicht scheust. Doch will ich dir, wenn Kynthios [Beiname von Apollo als Sonnengott] morgen das ganze Rund der Sonne zeigt, ein sicheres Unterpfand des Reiches geben.« Sprach es und verschwand mit ungeheurem Donner hoch im Äther, der erbebte.

Die Römer glaubten Numa zwar nicht ganz, als er ihnen von dieser Begegnung erzählte, doch versammelten sie sich am nächsten Morgen vor dem Haus des Königs. Als die Sonne aufgegangen war, betete Numa zu Iuppiter und forderte die Einlösung seines Versprechens. Plötzlich donnerte es aus heiterem Himmel, und ein ungewöhnlich geformter, auf beiden Seiten eingeschnittener Schild fiel vom Firmament.

Da von diesem Schild die Geschicke Roms abhängen sollten, ordnete Numa sicherheitshalber an, daß elf gleiche Schilde anzufertigen seien, um einen möglichen Dieb zu täuschen. Nur ein Handwerker, Veturius Mamurius, zeigte sich der Aufgabe gewachsen. Außerdem bestimmte Numa ein Priesterkollegium, die Salier oder »Tanzpriester«, dazu, die Schilde zu bewachen. Die Priester standen im Dienst des Mars und zogen jedes Jahr im März zu Beginn der zur Kriegsführung geeigneten Jahreszeit durch die Stra-

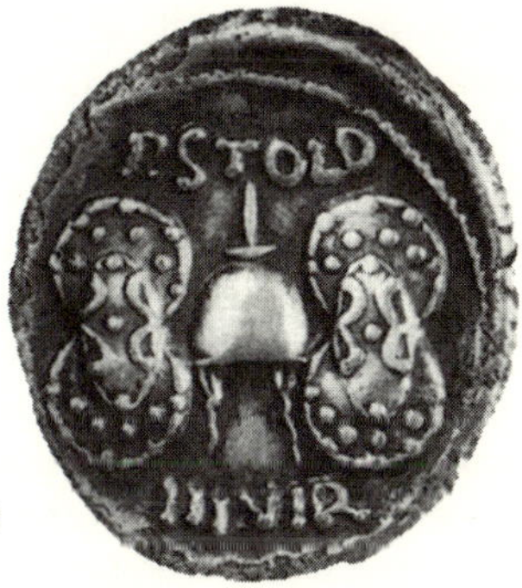

Münze, die zwei der heiligen Schilde zeigt; dazwischen befindet sich der Hut eines flamen

ßen Roms, wobei sie einen sonderbaren Tanz aufführten und ein Lied sangen, das so alt war, daß keiner in Rom es später mehr verstand, obwohl die Priester es Jahr für Jahr wieder zum besten gaben. Der Text ist uns (mehr oder weniger lückenhaft) überliefert, da er zum Gedenken an die Feier des Rituals im Jahr 218 n. Chr. in Marmor geritzt wurde. Dennoch besteht über seine Bedeutung nach wie vor Unklarheit, lediglich daß Mars darin angerufen wird, ist sicher.

Der nächste römische König, der kriegerische Tullus Hostilius, der Alba dem Erdboden gleichmachte und seine Bewohner zwang, sich in Rom anzusiedeln, hatte eine weniger glückliche

Beziehung zu Iuppiter. Das göttliche Mißfallen über seine fortwährenden Kriegszüge äußerte sich in einem Steinregen, der über dem Albanerberg niederging. Kurze Zeit darauf brach eine Seuche aus, die die Römer bald kriegsmüde werden ließ. Als Tullus sich schließlich auf die Kultvorschriften seines Vorgängers Numa besann und sich heimlich daran machte, ein Sühneopfer darzubringen, muß ihm dabei ein Fehler unterlaufen sein, denn er sei – so Livius – »von dem erzürnten und wegen des verkehrten Gottesdienstes erbosten Iuppiter durch einen Blitz erschlagen worden und samt seinem Hause verbrannt« (1,31,8).

Der vierte König von Rom, Ancus Marcius, mütterlicherseits ein Enkel Numas, versuchte die Interessen seiner beiden Vorgänger zu verbinden und soll, so heißt es, den Begriff des »gerechten Krieges« eingeführt haben. In einem – in abgewandelter Form noch im zweiten nachchristlichen Jahrhundert praktizierten – Ritual wurde einem anderen Land der Krieg formal erst erklärt, nachdem ein römischer Priester das fremde Gebiet aufgesucht und jeden Menschen, den er traf, sowie Iuppiter selbst zum Zeugen angerufen hatte, daß Genugtuung im Namen von Religion und Gerechtigkeit gefordert werde. Ancus Marcius soll mittels Aquädukten Wasser nach Rom geleitet haben (der angeblich von ihm abstammende Q. Marcius Rex erbaute im Jahr 144 v. Chr. die *Aqua Marcia* und wurde mit einem Reiterstandbild geehrt).

Die drei letzten römischen Könige, Tarquinius Priscus (ein etruskischer Einwanderer), Servius Tullius und Tarquinius Superbus stehen in einem deutlicher erkennbaren historischen Kontext, was allerdings nicht heißt, daß alles wahr ist, was die Schriftsteller über sie vermelden. Vor allem Servius Tullius erscheint zum Teil als politischer Reformer, aber auch als mythische Gestalt. Um seine Kindheit rankt sich eine Legende, und die Umstände seines Todes geben Stoff für ein Melodram.

Als kleiner Junge lebte Servius im Palast des älteren Tarquinius. Eines Tages wurde beobachtet, wie Flammen das Haupt des Kindes umspielten, während es schlief. Sie richteten keinerlei Schaden an und erloschen, als es erwachte. Tanaquil, die Königin, sah darin ein Zeichen des Himmels und konnte Tarquinius davon überzeugen, daß der Knabe dereinst eine Stütze ihres Hauses sein würde. Sie zogen ihn auf, wie es einem Königssohn geziemte, und Tarquinius versprach ihm seine Tochter zur Frau. Die Geschichte wäre noch besser, wäre er, wie manche sagten, das Kind einer Sklavin gewesen, doch Livius, skeptisch wie immer, kann sich nicht dazu durchringen, dies zu glauben – der Sohn einer Sklavin wäre nie und nimmer mit einer Prinzessin verlobt worden. Seine Mutter war offenkundig von vornehmer Herkunft, eine Kriegsgefangene wohl, deren die Königin sich angenommen hatte.

Die Söhne des Ancus Marcius, ohnehin von ihrem Vormund Tarquinius schon einmal um den Thron geprellt, waren über diese Bevorzugung des Fremdlings erbost. Ihr Zorn richtete sich in erster Linie gegen Tarquinius, der ihren Plänen zunächst mehr im Wege stand als Servius, der ihnen ohne seinen Gönner machtlos erschien, und sie beschlossen, den König zu beseitigen. Während Tarquinius nach einem Attentat im Sterben lag, sorgte Tanaquil entschlossen dafür, daß Servius die Staatsgeschäfte übernahm und zu gegebener Zeit König wurde. Trotz all des Guten, das er für Rom bewirkte, fand er ein trauriges Ende.

Tarquinius Priscus hatte zwei Söhne, den ehrgeizigen Lucius Tarquinius und Arruns, der keinerlei Ambitionen und Herrschsucht erkennen ließ. Sie wurden mit den beiden Töchtern des Servius verheiratet, die beide Tullia hießen und ähnlich unterschiedliche Charaktere hatten wie die beiden Brüder. »Zum Segen für das römische Volk«, wie Livius meint, fügte es der Zufall zunächst so, daß nicht die »zwei gewalttätigen Gemüter« verbunden (1,46,5) wurden, doch schon bald begann die machtbesessene Tullia ihren Schwager gegen ihren friedfertigen, sanften Gatten und seine eigene demütig-unterwürfige Gemahlin aufzuhetzen. Zwei Morde machten den Weg frei für eine Verbindung zwischen der im wahrsten Sinne des Wortes über Leichen gehenden Tullia und Lucius Tarquinius. Doch noch immer war der Ehrgeiz der Königstochter nicht gestillt. Nun hetzte sie ihren Gemahl gegen ihren Vater auf – mit Erfolg. Tarquinius erkaufte sich mit verlockenden Versprechungen und Geschenken die Unterstützung von Adligen, die mit den Reformen des Königs unzufrieden waren, dann warf er Ser-

vius buchstäblich zum Rathaus hinaus. Als sich der greise König durch die Straßen schleppte, wurde er von Helfershelfern des Tarquinius ermordet.
Sowie Tullia von dem Geschehen Kenntnis erhalten hatte, fuhr sie mit ihrem Wagen auf den Platz vor dem Rathaus, rief ihren Mann heraus und grüßte ihn triumphierend als König. Auf dem Heimweg hielt der Kutscher plötzlich den Wagen an und wies auf Servius' verstümmelten Körper, der vor ihnen auf der Straße lag. Gänzlich von Sinnen, ergriff Tullia selbst die Zügel und jagte die Pferde über den Leichnam ihres Vaters; sein Blut spritzte auf ihre Kleidung und rötete die Wagenräder. Die Straße aber, in der die Untat geschehen war (die heutige Via di S. Pietro in Vincoli), nannte man fortan »Sceleratus Vicus«, Frevelgasse.
Das Verhalten ihres Mannes, der den Beinamen *Superbus*, »der Stolze«, erhielt, unterschied sich nicht von dem Verhalten, das Tyrannen seit jeher an den Tag legen. Er verweigerte Servius das Begräbnis und ließ dessen Anhänger im Senat umbringen. Während seiner Gewaltherrschaft ermordete, verbannte oder enteignete er alle, die ihm ein Dorn im Auge waren oder nach deren Besitztümern es ihn gelüstete. Dann wurde die Nachbarstadt Gabii von Rom eingenommen; Geschichtsschreiber übernahmen einfach eine Geschichte von dem Griechen Herodot, um das Ereignis auszuschmücken: Mit Hilfe einer List brachte Tarquinius' Sohn Sextus die Stadt unter seine Kontrolle; dann schickte er einen Boten mit der Frage zu seinem Vater, was er als nächstes tun solle. Bei seiner Rückkehr berichtete der Mann, der König habe nichts gesagt, sondern sei lediglich im Garten auf und ab gegangen und habe dabei mit seinem Stock die größten Mohnköpfe abgeschlagen. Sextus wußte, was er zu tun hatte.

Das Ende der Monarchie

Tyrannen verstoßen meist auf irgendeine Weise gegen die in der Gemeinschaft herrschenden Regeln der Sexualmoral. In diesem Fall war es Tarquinius' Sohn Sextus, der den letzten Anstoß dazu lieferte, daß der Unmut der Adligen über Tarquinius in offene Rebellion umschlug, die der Monarchie ein Ende setzte. Sextus vergewaltigte die römische Adlige Lucretia, die Selbstmord beging, nachdem sie zuvor ihrem Vater und ihrem Gatten das Verbrechen enthüllt hatte (s. S. 111 ff.). Tarquinius und seine Familie wurden aus Rom vertrieben, und die Römer wählten ihre ersten beiden Konsuln – der Überlieferung nach geschah dies im Jahr 509 v. Chr.

Das war jedoch nicht das letzte, was wir von den Tarquiniern hören. Der abgesetzte König gewann die Unterstützung einiger etruskischer Städte; vor allem der König von Clusium, Lars Porsenna, setzte sich für eine Rückkehr des Tarquinius auf den römischen Thron ein. Während der Belagerung Roms durch Porsenna kam es zu verblüffenden Bekundungen römischen Heldenmuts und Patriotismus. Der Etrusker zeigte sich von diesen Tugenden sowie von dem hartnäckigen Widerstand der Römer und ihrer Entschlossenheit, sich ihre Freiheit zu bewahren, zu guter Letzt dermaßen beeindruckt, daß er freiwillig mit seiner Streitmacht abzog. Zumindest wollten das die Römer gern glauben.

Die alternative Geschichte: Etrusker in Rom

Das war eine gute Geschichte, die allerdings nicht ganz den Tatsachen entsprach. Tacitus und Plinius der Ältere wußten, daß Porsenna Rom eingenommen und einige Zeit lang gehalten hatte. Außerdem belegen archäologische Funde, daß sich die Etrusker nicht vor der Mitte des fünften vorchristlichen Jahrhunderts aus Rom zurückgezogen hatten. Dem König von Clusium lag es fern, dem verbannten Tarquinius bei der Rückeroberung des römischen Thrones behilflich zu sein; er verfolgte vielmehr ganz offenkundig eigene Expansionspläne, und um ihn schließlich aus Rom zu vertreiben, bedurfte es der vereinten Kräfte der Latiner, die zudem vom Herrscher von Cumae unterstützt wurden. Diese Geschichte war indes für Rom weniger schmeichelhaft, weshalb viele es vorzogen, sie einfach zu ignorieren.

Es gibt auch Hinweise auf andere Sagen, die nahelegen, daß der etruskische Einfluß auf das frühe Rom tiefgreifender und nachhaltiger war, als die meisten Römer zuzugeben bereit waren. Eine Ausnahme bildete Kaiser Claudius (41–54 n. Chr.), ein eifriger Altertumsforscher, dessen erste Gattin etruskischer Abstammung war und der ein Werk über die Geschichte der Etrusker verfaßte. In einer typisch langatmigen und weitschweifigen Rede vor dem Senat im Jahr 48 n. Chr. unterstützte er den Vorschlag, Bürger aus Gallien in den Senat aufzunehmen, mit dem Hinweis darauf, daß man im Rom der Königszeit auch Außenstehende zugelassen habe. Nach Claudius' Erkenntnissen soll es sich bei dem König zwischen den beiden Tarquiniern nicht um Servius Tullius, sondern einen Etrusker namens Mastarna gehandelt haben.

Eine aus dem 4. oder 3. Jahrhundert v. Chr. stammende Grabmalerei in der Etruskerstadt Vulci, die eine uns in ihren Einzelheiten nicht überlieferte Geschichte darstellt, zeigt, wie Mastarna Caelius Vibenna (Caile Vipinas) befreit, während Aulus Vibenna (Olus Vipinas) gegen einen Mann aus Falerii kämpft und ein dritter Gnaeus Tarquinius Romanus (Gneve Tarchunies Rumach) tötet. »Mastarna« scheint lediglich das etruskische Wort für »Magistrat« zu sein. Doch zumindest Aulus Vibenna ist ein echter etruskischer Name – er ist auf einem Gefäß aus Veji aus dem sechsten vorchristlichen Jahrhundert zu finden. Caelius Vibenna war Varro als ein etruskischer Adliger bekannt (natürlich galt er als Namensgeber des Mons Caelius in Rom), der Romulus gegen König Tatius und die Sabiner beistand; Varro behauptet, die Tuskische Straße in Rom sei nach seinen Gefolgsleuten benannt. Einigen Römern zufolge, darunter auch Cicero, leitet sich der Name einer der drei Tribus, in die Romulus das römische Volk eingeteilt hatte, nämlich *Luceres*, von einem weiteren etruskischen König her, der Romulus im Kampf gegen Tatius zu Hilfe gekommen war.

Diese verstreuten Hinweise auf eine »etruskische« Geschichte Roms mögen auf einer frühen kulturellen, wenn nicht auch politischen Expansion der Etrusker nach Latium basieren. Die Söhne der Wölfin zogen es jedoch vor, ihr Latinertum zu betonen und ihre Erfolge sich selbst und den Göttern zuzuschreiben.

Der Held und der Staat

Jeder römische Schuljunge kannte die Sagen aus der Frühgeschichte Roms, die beispielhaft die Tugenden veranschaulichten, welche von den Römern gern als typisch römische Charaktereigenschaften gesehen wurden, und die besonderes Gewicht auf den Grundsatz legten, daß das Gemeinwohl Roms über die Wünsche des einzelnen, ja über die Loyalität dem Familienverband, der *gens*, gegenüber zu stellen sei. Die vornehmsten römischen Familien waren besonders stolz darauf, wenn sie auf solche Beispiele mustergültigen Verhaltens in ihren jeweiligen Familienchroniken verweisen konnten, und richteten, zumindest während der Republik, lange Zeit ihr Verhalten an diesen Vorbildern aus. Geschichten, die *bona exempla* aufzeigten, wurden auch immer wieder in öffentliche Leichenreden eingebaut, um die jungen Männer zur Nachahmung anzuregen. Ennius, der im 3. Jahrhundert v. Chr. das erste Nationalepos Roms, die *Annales*, verfaßte, schrieb: »Moribus antiquis res stat Romana virisque« (»Durch seine alten Sitten und seine Männer hat Rom Bestand«).

Ennius appellierte, im historischen Kontext, an traditionelle Werte. Im Jahr 340 v. Chr. befehligte der Konsul Titus Manlius Torquatus ein gegen die Latiner in den Krieg ziehendes Heer (den Ehrennamen Torquatus soll er erhalten haben, nachdem er als junger Mann einen hünenhaften Gallier im Zweikampf besiegt und ihm die *torques*, die Halskette, abgenommen hatte). Sein auf Kundschaft ausgeschickter Sohn ließ sich, von den höhnischen Bemerkungen eines gegnerischen Reiterführers provoziert, entgegen dem ausdrücklichen Befehl des Konsuls auf einen Zweikampf mit dem Latiner ein. Zwar kehrte der Sohn als Sieger zurück, doch Torquatus sah sich gezwungen, ihn hinrichten zu lassen, um die militärische Disziplin zu wahren. Im Jahr 140 v. Chr. stellte einer seiner Nachkommen fest, daß sein Sohn, den er einem anderen Römer zur Adoption überlassen hatte, seine Position als Statthalter in Makedonien zur Erpressung von Geld mißbraucht hatte. Er erklärte öffentlich, ihn nie mehr sehen zu wollen, und als sein verzweifelter Sohn sich in der folgenden Nacht erhängte, weigerte er sich, an dessen Begräbnis teilzunehmen. Statt dessen verbrachte er den Tag wie gewöhnlich im Atrium seines Hauses und empfing die Besucher, die gekommen waren, um seinen fachmännischen Rat in Rechtsfragen und religiösen Riten zu erbitten. Die Geschichte findet sich in einer Sammlung moralischer Anekdoten, in der Generation nach Augustus unter dem Titel »Denkwürdige Taten und Sprüche« von Valerius Maximus herausgegeben, der behauptet, Manlius habe, wie andere vornehme Römer, Totenmasken seiner Vorfahren, darunter auch des gestrengen Titus, aufbewahrt, die ihn stets mahnen sollten, deren Vorbild nachzueifern.

Der Torquatus von 340 v. Chr. war, zumindest der Überlieferung nach, nicht der erste, dem das Schicksal es auferlegte, seinen eigenen Sohn hinrichten zu lassen. Nach der Verbannung des Tarquinius Superbus aus Rom verschworen sich einige junge Römer, darunter auch die Söhne eines der beiden ersten Konsuln der römischen Republik, Lucius Iunius Brutus, um die Rückkehr des Königs auf den Thron zu betreiben. Die Verschwörung wurde entdeckt, und alle Beteiligten wurden zum Tode verurteilt. Der Vater ließ den eigenen Söhnen gegenüber keine Gnade walten; ja, sein Amt erlegte es ihm sogar auf, beim Vollzug der Strafe anwesend zu sein. Während der ganzen Zeit, so berichtet Livius, galt die allgemeine Aufmerksamkeit nicht so sehr den Söhnen als vielmehr dem Vater, und an seinem Gesichtsausdruck und Mienenspiel zeigte es »sich ganz deutlich, wie ihm als Vater zumute war, während er den öffentlichen Strafvollzug leitete« (2,5,8).

Diese Form strikter Unterordnung von persönlichen und Fami-

Bronzefigur eines Liktors (Amtsdiener römischer Beamter und Priester). Das Rutenbündel und die Axt, die er trägt, symbolisieren die Macht der Magistrate, Strafen – auch die Todesstrafe – zu verhängen

lieninteressen unter die Interessen des Staates ist nicht nur für eine einzige Regierungsform charakteristisch. Bei den Römern hören wir davon sowohl in Geschichten über die Königszeit als auch in solchen aus der frühen Republik. Interessant ist, daß auch eine spätere Periode sie für ihre Zwecke aufgriff. Eines der berühmtesten Gemälde des klassizistischen französischen Künstlers Jacques-Louis David zeigt den Konsul Brutus, wie er mit gesenktem Blick in seinem Haus sitzt, während die Liktoren die Leichen seiner Söhne hereintragen. Es wurde auf dem Pariser Salon von 1789, wenige Wochen nach dem Sturm auf die Bastille, ausgestellt, war aber noch vom König in Auftrag gegeben worden.

Der Kampf der Horatier und Curatier

Sogar noch berühmter ist Davids »Horatierschwur«. Das Gemälde zeigt drei Brüder, die offenbar beschließen, in einen Kampf auf Leben und Tod zu ziehen. Auch wenn es später angesichts der aktiven Beteiligung Davids an der nachrevolutionären Politik als Kampfaufruf an die Massen interpretiert wurde, entstanden war es im Auftrag der Krone etwa fünf Jahre vor der Revolution als Teil eines von Ludwig XVI. initiierten Projektes zur Hebung der öffentlichen Moral mit Hilfe der bildenden Künste, das er von seinem Minister für die Künste überwachen ließ. Die Schwurszene ist eine Erfindung Davids; sie kommt weder in der antiken Überlieferung noch in dem Stück vor, das der französische Dramatiker Pierre Corneille im 17. Jahrhundert über die Horatier verfaßt hatte. Die Kraft von Davids Konzeption hat das Gemälde zu einem Kultbild werden lassen. *Le Serment des Horaces* (»Der Schwur der Horatier«) wurde als Name für eine 1987 gegründete französische Zeitschrift gewählt, die sich auf universitäre Forschung im kunstgeschichtlichen Bereich spezialisiert hat.

Davids Gemälde betont die Bereitschaft, das eigene Leben für den Staat hinzugeben. Die antike Erzählung enthält indes noch andere Elemente, von denen vor allem eines wohl nicht recht in das didaktische Konzept des französischen Königs gepaßt hätte, konnte ihm doch wohl kaum daran gelegen sein, als Befürworter von Schwestermord zu gelten.

Unter ihrem dritten König, Tullus Hostilius, führten die Römer einen Krieg gegen die Albaner, der schließlich mit der Zerstörung von Alba Longa und der Umsiedlung seiner Bewohner nach Rom endete. Um aber ihre Soldaten für den Kampf gegen den gemeinsamen Feind, die Etrusker, zu schonen, kamen die Könige von Rom und Alba zunächst überein, die aktuelle Auseinandersetzung zwischen ihnen durch einen Kampf ihrer Besten beizulegen. Da traf es sich gut, daß in beiden Heeren Drillingsbrüder dienten, die römischen Horatier und die albanischen Curatier, die sich bereit erklärten, für ihr Vaterland zu kämpfen.

Am festgesetzten Tag wurde, und dies ist, nach Livius, »die älteste Kunde von einem Vertrag« (1,24,4), zwischen den Römern und

Der Schwur der Horatier. Gemälde von Jacques-Louis David (1784)

Albanern ein feierliches Abkommen geschlossen, das besagte: »Wessen Volkes Bürger in diesem Gefecht die Oberhand behielten, das solle das andere Volk in ehrenhaftem Frieden beherrschen« (1,24,3). Der zum römischen Oberpriester erwählte Spurius Fusius, dessen Aufgabe es war, »einem Vertrag bestätigende Weihe zu geben« (1,24,6), las die Vertragsbedingungen vor und versprach, das römische Volk werde nicht als erstes von diesen Bedingungen abweichen. Sollte es indes »zuerst davon abgehen, auch auf allgemeinen Beschluß, aus Trug und Bosheit, dann sollst du, Iuppiter, das Römervolk so stechen, wie ich dieses Schwein hier und heute stechen werde; und du sollst es um so mehr stechen, je mehr du kannst und stark bist« (1,24,8). Nach diesen Worten durchbohrte er das Schwein mit einem Jaspismesser. Danach leisteten die Albaner ihren Eid.

Besorgt beobachtet von den beiden Heeren, nahmen die Kämpfer die Waffen auf. Die drei Albaner wurden verwundet, ein Horatier fiel, gleich darauf ein zweiter. Der letzte Horatier ergriff die Flucht, allerdings nicht aus Feigheit, sondern in der – wie sich herausstellte, richtigen – Annahme, die Curatier würden ihn verfolgen, »und das so, wie es einem jeden sein durch die Verwundung geschwächter Körper erlaubte« (1,25,7). Plötzlich hielt er inne, wandte sich um und tötete den ersten Curatier, der ihm schon dicht auf den Fersen gewesen war, dann machte er – angefeuert durch die Zurufe der überraschten Römer – den zweiten nieder, der inzwischen herangekommen war. Der dritte, von seiner Verwundung und der Verfolgung völlig erschöpft, vermochte keinen Widerstand mehr zu leisten und wurde mit einem einzigen Hieb niedergestreckt. Beide Seiten begruben ihre Toten; ihre Gräber, so Livius, »sind dort, wo ein jeder fiel, noch zu sehen« (1,25,14). Horatius erhielt die Waffen und Rüstungen der Curatier als Beutestücke und marschierte an der Spitze des römischen Heeres nach Rom zurück.

Vor dem Capenischen Tor wartete seine Schwester, die mit einem der Curatier verlobt gewesen war. Als sie das Gewand erkannte, das sie für ihren Verlobten angefertigt hatte, löste sie in Trauer ihr Haar und schrie seinen Namen hinaus. Aufgebracht über das Wehklagen seiner Schwester, durchbohrte Horatius das Mädchen auf der Stelle mit seinem Schwert: »Fahre hin samt deiner unpassenden Liebe zu deinem Verlobten«, sagte er, »weil du deiner toten Brüder und des lebenden vergessen, vergessen des Vaterlands! So soll jede Römerin dahinfahren, die um einen Feind trauern wird!« (1,26,4)

Die Meinung der Leute war geteilt. Die Tat war fraglos gräßlich, gleichzeitig war Horatius aber ein Nationalheld. Er wurde vor den König geführt. Dieser setzte einen Zweimännerrat (*duumviri*) ein, der gegen Horatius wegen Hochverrats (*perduellio*) Anklage erheben sollte (da Horatius das Recht des Volkes, ein Urteil zu fällen, durch seine Selbstjustiz unterlaufen hatte). Livius erläutert seinen Lesern das archaische Verfahren: Der Zweimännerrat hatte den Sachverhalt zu prüfen. Stellte er fest, daß ein Vergehen vorlag, stand es dem Beschuldigten, in diesem Fall Horatius, nach altem Recht zu, Einspruch zu erheben und die Sache dem Volk zur Entscheidung zu überlassen (*provocatio ad populum*). Entschied das Volk auf schuldig, sollte der Angeklagte mit verhülltem Haupt an den Schandbaum gebunden und gegeißelt werden.

Horatius legte Berufung ein. Sein Vater ergriff das Wort: Hätte seine Tochter den Tod nicht verdient, so wäre er nach Vaterrecht gegen seinen Sohn vorgegangen und hätte ihn für seine Tat bestraft. So aber bitte er das Volk, seinen Sohn, der so heldenhaft für die Stadt gekämpft habe, zu verschonen. Das Volk sprach Horatius frei – »mehr aus Bewunderung für seinen Mannesmut als nach dem Recht seines Prozesses«, wie Livius (1,26,12) hinzufügt. Allerdings mußte sein Vater einige Sühneopfer für ihn darbringen und Horatius mit bedecktem Haupt unter einem quer über die Straße gelegten Balken wie unter einem Joch hindurchgehen.

Zu Livius' Zeit gab es eine Stelle auf dem Forum, die als »Horatischer Pfeiler« bekannt war; dort sollen die Rüstungen aufgehängt gewesen sein, die Horatius den Curatiern abgenommen hatte. In der Gegend, in der später auch das Colosseum errichtet wurde, gab es einen Balken (*tigillum*), der zumindest bis ins 4. Jahrhundert n. Chr. von Zeit zu Zeit auf Staatskosten erneuert wurde und *Tigillum Sororium* hieß. Der Name wurde, abgeleitet von *soror*, als

»Schwesterbalken« verstanden. Doch befand sich in der Nähe ein Doppelaltar des Ianus Curiatius und der Iuno Sororia, zudem erwähnt der römische Religionskalender eine Feier, die am 1. Oktober dort stattfand. Dies läßt vermuten, daß falsche Etymologie eine Sage hervorbrachte, in der primitive, obsolet gewordene Bräuche mit Initiationsriten für Knaben der *curiae* (älteste Gliederungsform des römischen Volkes) und für in die Pubertät kommende Mädchen (*sororiare* bedeutet das Wachsen von Brüsten) verknüpft sowie gleichzeitig ein paar überlieferte topographische Gegebenheiten erklärt werden sollten. Die Sage, wie wir sie bei klassischen Schriftstellern erzählt finden, dient auch dazu, bestimmte Wertvorstellungen einzuschärfen – daß das Vaterland über dem eigenen Leben, Patriotismus über persönlicher Zuneigung zu stehen habe.

Wie der einäugige Horatius die Brücke verteidigte

Lars Porsenna und sein Etruskerheer rückten gegen Rom vor. Sie bewegten sich auf die verwundbare Stelle bei der Verteidigung der Stadt zu, die hölzerne Pfahlbrücke über den Tiber. Entsetzt über den massiven feindlichen Ansturm, ergriffen die römischen Wachposten die Flucht, doch ein weiterer Horatius, genannt Cocles (»der Einäugige«), hielt einige der Fliehenden an und forderte sie auf, die Brücke an einem Ende einzureißen, während er selbst den Feind aufhalten wollte, soweit ein einzelner dazu imstande war. Lediglich zwei vornehme Römer, Spurius Larcius und Titus Herminius (interessanterweise beides Namen etruskischen Ursprungs), besaßen genügend Ehrgefühl, um an Horatius' Seite den Kampf aufzunehmen und zu helfen, den Widerstand um einige wertvolle Minuten zu verlängern; dann, als die Zerstörung der Brücke beinahe abgeschlossen war, forderte Horatius sie auf, sich in Sicherheit zu bringen. Er werde sich den Feinden allein entgegenstellen, bis die Arbeit ganz beendet sei:

> Finster und drohend blickte er nun auf die Führer der Etrusker. Bald reizte er sie einzeln, dann schalt er sie alle zusammen; [...] Sie zögerten eine Weile, während einer zum anderen blickte, wer wohl den Kampf beginnen würde. Ihr Ehrgefühl trieb sie schließlich zum Vorrücken, sie erhoben das Feldgeschrei und warfen von allen Seiten ihre Speere auf den einen Gegner. Die Geschosse blieben sämtlich im Schild des Horatius stecken, er aber stellte sich dessen ungeachtet in breiter Schrittstellung hin und behauptete weiter die Brücke. Nun wollten sie durch einen Sturmangriff den Mann von der Brücke stoßen, gleichzeitig aber hörte man das Krachen der zusammenbrechenden Brücke und das Freudengeschrei, das die Römer anstimmten, weil ihnen ihr Werk so rasch geglückt war. Die Gegner gerieten sogleich in Bestürzung und hielten mit dem Angriff inne. Da rief Cocles: »Vater Tiberinus, in frommer Gesinnung bitte ich dich, nimm diesen Soldaten mit seinen Waffen gnädig in deine Fluten auf!« Und so sprang er in voller Rüstung in den Tiber und schwamm in einem Geschoßhagel, aber unversehrt zu seinen Kameraden.
>
> (Livius 2,10,8–11)

Horatius Cocles hatte Rom gerettet, und zur Belohnung wurde ihm ein Standbild errichtet (laut Plinius dem Älteren das erste, das zu Ehren eines einzelnen aufgestellt wurde). Außerdem erhielt er ein Stück Land, und einige Privatleute, so fügt Livius hinzu, trugen während der Notzeiten der folgenden Belagerung freiwillig zu seinem Lebensunterhalt bei.

Horatius überlebte jedoch nicht immer dank seiner Schwimmkünste. In einer anderen Version opferte er sich bewußt für sein Vaterland – und von öffentlichen Ehren ist dort nicht die Rede. Tatsächlich gibt es zu denken, daß zu einem so frühen Zeitpunkt einer noch lebenden Person ein Denkmal errichtet worden sein soll. Horatius' Sprung vom *Pons Sublicius*, Roms ältester Brücke, in den Tiber läßt an eine am 14. Mai stattfindende mysteriöse Zeremonie denken, bei der römische Priester, Vestalinnen und Prätoren dreißig – *Argei* genannte – Strohpuppen von dieser Brücke hinunter in den Fluß stießen. Wiederum mag es sich hier um ein Beispiel für eine Sage handeln, die sich herausbildete, um ein Ritual – und vielleicht auch ein altes Kult-Standbild – zu begründen, wobei wiederum auch eine moralische Dimension im Spiel sein mochte.

Eines der über Generationen hinweg populärsten Gedichte der englischen Literatur war Lord Macaulays »Horatius« aus seinen 1842 veröffentlichten *Lays of Ancient Rome*. Macaulays Etrusker zeigen eine beinahe schon britische Fairneß; als Horatius sich ans Ufer rettet, »even the ranks of Tuscany / Could scarce forbear to cheer« (»konnten selbst die Linien der Etrusker kaum umhin, Beifall zu spenden«).

Wie Scaevola seine Hand verlor

Ein anderes traditionelles Sagenthema, das wir auch bei den Griechen finden, ist die geheime Mission hinter den feindlichen Linien. Die Belagerung Roms durch Porsenna und sein Heer dauerte an, und die Lebensmittelvorräte der Stadt gingen allmählich zur Neige. Die Demütigung, die damit verbunden war, daß Rom belagert wurde, und dies auch noch von einem Feind, der in der Vergangenheit so oft besiegt worden war, veranlaßte Gaius Mucius, einen vornehmen jungen Mann, zu einem sehr gewagten Unternehmen; zuvor allerdings holte er die Erlaubnis des Senats ein (sonst hätten ihn womöglich die römischen Wachposten für einen Überläufer halten und töten können). Nur mit einem Dolch bewaffnet, schlich er sich heimlich ins Etruskerlager. Der König saß mit seinem Schreiber auf einem Podium, umgeben von herandrängenden Soldaten, an die gerade der Sold ausgezahlt wurde.

Welcher der beiden Männer aber war der König? Beide trugen ähnlich prunkvolle Gewänder, so daß Mucius aus der Kleidung keinen Hinweis auf den Gesuchten erhielt. Er stach auf gut Glück zu – und tötete den falschen. Sofort wurde er von den Umstehenden ergriffen und Porsenna vorgeführt. Mucius zeigte keinerlei Furcht: Er sei ebenso bereit zu sterben, wie er zu töten bereit gewesen sei, erklärte er kühn. Nur solle Porsenna nicht glauben, mit seiner Festnahme sei die Gefahr für sein Leben gebannt: »Ich habe auch nicht als einzelner diesen Anschlag auf dich geplant. Nach mir kommt eine lange Reihe junger Männer, die nach der gleichen Heldentat begierig sind« (Livius 2,12,10). Porsenna, wütend und erschrocken zugleich, befahl Mucius, Einzelheiten über die geplanten Aktionen preiszugeben, und drohte, ihn andernfalls bei lebendigem Leib zu verbrennen. Doch Mucius erwiderte nur: »Schau her, damit du erkennst, wie wertlos der Körper für die ist, die großen Ruhm vor Augen haben« (2,12,13). Bei diesen Worten streckte er die rechte Hand in das Feuer, das in einem Opferbecken brannte, und ließ sie darin, als verspüre er keinen Schmerz. Porsenna war so beeindruckt, daß er Mucius, in Anerkennung seiner Tapferkeit, die Freiheit schenkte. Der Römer bedankte sich auf recht sonderbare Art – er enthüllte Porsenna nun freiwillig, was dieser ihm mit Drohungen nicht hatte entlocken können: Dreihundert junge Römer aus vornehmen Familien hätten sich verschworen, den Etruskerkönig zu töten, und sie würden nicht eher ruhen, bis es einem von ihnen gelänge. Er, Mucius, sei nur der erste gewesen, der den Versuch unternommen habe. Porsenna zweifelte nicht an Mucius' Worten und nahm Verhandlungen mit den Römern auf, die schließlich zum Frieden führten. Mucius aber trug fortan den Beinamen Scaevola, »Linkhand«, der in geschichtlicher Zeit *cognomen* eines Zweiges der *gens* Mucia war.

Diese Geschichte kann frühestens aus dem dritten vorchristlichen Jahrhundert stammen und läßt eindeutig griechischen Einfluß erkennen. Im 6. Jahrhundert v. Chr. hatten Römer im allgemeinen noch keine Beinamen, ungeachtet der genealogischen Phantasien späterer Generationen; zudem war *scaeva* (»ein zur linken Hand beobachtetes Vorzeichen«) Römern zu Varros Zeit als griechisches Lehnwort bekannt, und das Adjektiv *scaevus* fand erst im 2. Jahrhundert n. Chr. Eingang in die lateinische Schriftsprache. Porsennas gutgekleideter Schreiber ist ein weiterer griechischer Zug, und die geheime Mission mag bei einer sich um den alten athenischen König Kodros rankenden Sage Anleihe genommen haben (der

Mucius Scaevola brennt sich vor Lars Porsenna die Hand ab. Italienischer Majolikateller (um 1510–20)

sich in das Lager des Feindes begab und dort töten ließ, um einen Orakelspruch zu erfüllen und sein Land zu retten).
Die Sage trägt dazu bei, den Rückzug Porsennas aus Rom zu begründen. Wie wir gesehen haben, gaben die Römer dieser Version der Geschichte ihrer Beziehungen mit den Etruskern den Vorzug. Sie wurde für die Familienüberlieferung der *Mucii Scaevolae* geschaffen, eine Sippe, die in der späten Republik Interesse an Geschichte und Altertumsforschung erkennen ließ. Der erste Vertreter dieser *gens*, der Eingang in die Geschichte fand, war Prätor im Jahr 215 v. Chr. Im zweiten vorchristlichen Jahrhundert folgten zwei Scaevolae nacheinander im Amt des Pontifex Maximus, des römischen Oberpriesters, und hatten so Zugang zu einer primitiven Form der Chronik, den *Annales Maximi*, Tafeln, auf denen der Oberpriester Feste und andere Ereignisse aufzeichnete. Ein Jahrhundert später half ein anderes Mitglied der Familie bei der Organisation der unter Augustus neu belebten *ludi saeculares* (Säkularspiele, mit denen seit alters in Intervallen von etwa 110 Jahren der Gründung Roms gedacht wurde).
Natürlich war den Scaevolae daran gelegen, eine akzeptable Erklärung für ihren Familiennamen zu liefern, sei es, weil Linkshändigkeit im Alltagsleben als unheilvoll galt (auch wenn die Auguren sie als glückbringend betrachteten), sei es, weil es vielleicht Gerüchte gab, einem Vorfahren sei die Hand als Strafe abgebrannt worden.
Ironischerweise ließen die Römer später Scaevolas Geschichte im Rahmen von Strafaktionen spektakulärer Art wieder aufleben. Im ersten nachchristlichen Jahrhundert waren Hinrichtungen aller Art sowie andere Formen körperlicher Züchtigung nicht nur Bestandteil der in den Arenen gebotenen Unterhaltung, wie etwa Tierhetzen, sondern sogar in Theateraufführungen eingebaut (so wurden Schauspieler z. B. durch zum Tode verurteilte Verbrecher ersetzt, die dann tatsächlich getötet wurden und nicht nur einen »Bühnentod« starben). Solche Vorführungen fanden unter Kaiser Titus im Jahr 80 n. Chr. bei der großen Einweihung seines neuen Amphitheaters, des Colosseums, statt. Der Dichter Martial bezieht sich auf eine Farce, in der man offenbar jemand die Wahl ließ, sich die

Hand abbrennen zu lassen, anstatt in einer mit Pech beschmierten Tunica verbrannt zu werden:

> Will der Mucius dir, den du jüngst gesehn auf dem Kampfplatz,
> morgens, wie er die Hand legt' auf den brennenden Herd,
> stark im Ertragen von Schmerz und hart und tapfer erscheinen,
> hast du nicht mehr Witz als von Abdera das Volk.
> Weist man das Foltergewand und sagt: »Verbrenne die Hand dir!«,
> dann bedeutet es mehr, sagt man: »Ich tue es nicht!«
>
> (*Epigramme* 10,25)

Eine Sage, gedacht zur Illustration patriotischer Selbstaufopferung, wurde so auf verblüffende Weise umfunktioniert, um die Autorität des Staates zu demonstrieren.

Die Geschichte vom Magen und von den Gliedern

Keine zwanzig Jahre nach der Vertreibung des letzten Königs sah sich Rom einer zweifachen Krise gegenüber – der äußeren Bedrohung durch Nachbarvölker und inneren Zwistigkeiten zwischen dem Volk und der herrschenden Klasse. Die Plebejer protestierten gegen das grausame Gesetz, das es Gläubigern nicht nur gestattete, sich den Besitz ihrer Schuldner einzuverleiben, sondern diese darüber hinaus ins Gefängnis zu sperren und zu mißhandeln. Versprechungen, das Gesetz zu ändern, wurden nicht eingelöst. Es kam zu Aufständen, und nur mit größter Mühe gelang es dem Senat, ein Heer aufzustellen, das gegen die heranrückenden Feinde in den Krieg zog. Als der Senat dann aus Angst vor möglichen inneren Unruhen nach einer Auflösung des Heeres die Soldaten weiterhin zum Kriegsdienst verpflichten wollte und erneut Befehl zum Abmarsch gab, war die Geduld des Volkes am Ende. Empört verließ ein Großteil der Plebejer die Stadt und schlug drei Meilen

entfernt ein befestigtes Lager auf dem Heiligen Berg auf. Diese Vorgänge wurden als der erste Auszug der Plebs bekannt.
Der Senat sandte einen Plebejer, Menenius Agrippa, als Unterhändler auf den Heiligen Berg, und dieser erzählte den Abtrünnigen eine Parabel – die Geschichte vom Magen und von den Gliedern.

> Einst, als im Menschen noch nicht wie heute alles einheitlich verbunden war, als jedes der einzelnen Glieder des Körpers seinen Willen, seine eigene Sprache hatte, empörten sich die übrigen Glieder, daß sie ihre Sorge und Mühe und ihre Dienste nur aufwendeten, um alles für den Magen herbeizuschaffen. Der Magen aber liege ruhig mittendrin und tue nichts anderes, als sich an den dargebotenen Genüssen zu sättigen. Sie verabredeten sich also folgendermaßen: Die Hände sollten keine Speise mehr zum Munde führen, der Mund nichts Angebotenes mehr annehmen, die Zähne nichts mehr zerkleinern. Während sie nun in ihrer Erbitterung den Magen durch Aushungern bezwingen wollten, kamen die einzelnen Glieder alle zugleich mit dem ganzen Körper an den Rand völliger Entkräftung. Da sahen sie ein, daß sich auch die Aufgabe des Magens durchaus nicht in faulem Nichtstun erschöpfte, daß er ebensosehr andere ernähre, wie er selbst ernährt werde. Er bringe ja das Blut, das durch die Verarbeitung der Speisen gebildet wird und durch das wir leben und bei Kräften bleiben, gleichmäßig auf die Adern verteilt in alle Glieder des Körpers.
>
> (Livius 2,32,9–11)

Das Volk erkannte die Parallele zwischen dem Aufruhr im Körper und seinem eigenen Groll auf die Senatoren. Man fand einen Kompromiß, und die Plebejer erhielten das Recht, eigene Beamte zu wählen, die sie vor willkürlichem Vorgehen seitens der Konsuln schutzen sollten. Einer der beiden ersten Volkstribunen, die gewählt wurden, war Sicinius, der Führer des Aufstands.

Coriolanus und die Belagerung von Rom

Die Eintracht zwischen Volk und Senat war indes nur von kurzer Dauer. Während des Auszugs der Plebs war die Bestellung der Felder vernachlässigt worden, und bald drohte der Stadt eine Hungersnot. Zwei Jahre lang mußte Getreide von nah und fern importiert werden. Damit das Volk sich dieses Getreide aber überhaupt leisten konnte, mußte der Preis subventioniert werden. Einige Senatoren sahen in dieser Situation die Chance, die Plebs dazu zu zwingen, als Gegenleistung für einen niedrigen Getreidepreis auf ihre neuerworbenen politischen Vorrechte zu verzichten.

Einer der vehementesten Verfechter dieser Position war Gnaeus Marcius, ein Nationalheld, seit er im Jahr zuvor einen Angriff auf die Volskerstadt Corioli geleitet und sie erobert hatte. Dieser Ruhmestat verdankte er den Namen Coriolanus. Nun aber brachte er das Volk mit seinen Beschimpfungen und Attacken gegen sich und gegen den Senat auf:

> »Soll ich diese unwürdigen Zustände länger als nötig hinnehmen?« fragte er. »Ich habe den König Tarquinius nicht ertragen können – soll ich einen Sicinius dulden? Er mag nur hinausziehen, er mag das Volk mit sich nehmen: Der Weg ist frei zum Heiligen Berg und zu den anderen Hügeln. Sollen sie das Korn von unseren Feldern rauben, wie sie es vor zwei Jahren taten. Sie sollen nun die Teuerung des Getreides auskosten, die sie durch ihr Wahnsinnsunternehmen selbst herbeigeführt haben. Ich bin sicher, sie werden durch dieses Übel so zahm werden, daß sie lieber wieder selbst die Äcker bebauen, als durch einen bewaffneten Auszug die Feldbestellung zu verhindern.«
>
> (Livius 2,34,10–11)

Prompt erhoben die Volkstribunen Anklage gegen ihn. Die Senatoren waren zutiefst erschrocken. Zunächst versuchten sie durch Druck auf ihre Klienten zu verhindern, daß Versammlungen oder Zusammenkünfte stattfanden; schließlich verlegten sie sich aufs

Bitten und ersuchten das Volk, Coriolanus nicht zu bestrafen. Als dieser dann jedoch nicht vor Gericht erschien, nahm die Erbitterung des Volkes noch zu, und er wurde in Abwesenheit zu lebenslänglicher Verbannung verurteilt (so Livius; Plutarch dagegen berichtet von einer dramatischen Gerichtsszene, in der der Angeklagte das Volk durch sein überhebliches Auftreten noch mehr gegen sich aufbrachte).

Coriolanus suchte Zuflucht bei seinen bisherigen Feinden, den Volskern, die gerade einmal mit Rom in Frieden lebten. Er verschwor sich mit einem ihrer Anführer, Attius Tullius. Mit Hilfe von Falschinformation und gezielter Propaganda veranlaßte Attius Tullius den römischen Senat, auf der Stelle sämtliche Volsker, die sich anläßlich der »Großen Spiele« in Rom aufhielten, aus der Stadt zu weisen. Tullius fing die Ausgewiesenen ab und hetzte sie gegen die Römer auf. Er und Coriolanus ruhten nicht eher, bis aus dem diplomatischen Zwischenfall ein offener Krieg der Volsker gegen die Römer geworden war.

Coriolanus selbst stand an der Spitze des Volskerheeres. Zunächst eroberte er die Gebiete zurück, die erst in jüngster Zeit von den Römern besetzt worden waren, dann überrannte er Latium und belagerte schließlich Rom. Zweimal schickte der Senat Gesandte, die mit ihm verhandeln sollten; das zweite Mal weigerte sich Coriolanus, sie auch nur anzuhören. Dann schickten die Römer ihre Priester – ebenfalls vergeblich. Da wandten sich die römischen Frauen an Coriolanus' betagte Mutter Veturia und seine Gemahlin Volumnia. Es gelang ihnen, sie dazu zu überreden, sich mit ihnen ins feindliche Lager zu begeben. Auch den Frauen gegenüber verhielt sich Coriolanus zunächst abweisend. Als er aber seine Mutter und seine Gattin mit seinen Kindern in dem Zug entdeckte, eilte er erfreut auf sie zu und wollte sie umarmen. Seine Mutter gebot ihm jedoch Einhalt:

> »Laß mich«, sagte sie, »bevor ich mich von dir umarmen lasse, erst wissen, ob ich zum Landesfeind oder zu meinem Sohn gekommen bin, ob ich mich in deinem Lager als Mutter oder als Gefangene aufhalte. [...] Kam dir beim Anblick Roms nicht der

> Gedanke: Hier in diesen Mauern habe ich mein Haus und meine Hausgötter, meine Mutter und Gattin, meine Kinder? Hätte ich dich also nicht geboren, dann würde Rom jetzt nicht belagert; hätte ich keinen Sohn, könnte ich in Freiheit in einem freien Vaterland sterben. Aber mich kann schon nichts mehr treffen, was dir noch mehr Schande und mir noch mehr Kummer bringt. Denn wie elend ich auch bin, es wird doch nicht mehr lange dauern. Schau aber auf diese hier: Wenn du so fortfährst, dann bleibt ihnen nur ein früher Tod oder eine lange Knechtschaft.«
>
> (Livius 2,40,5–9)

Dann klammerten sich seine Gattin und seine Kinder schluchzend an ihn, die Frauen in ihrer Begleitung brachen in Tränen aus. Coriolanus war völlig überwältigt. Er schickte sie nach Hause und zog das Heer ab; ob ihn die Volsker töteten oder er ein langes, unglückliches Leben im Exil führte, wußte niemand mit Sicherheit zu sagen.

Das ist die Geschichte, wie Livius sie knapp und schmucklos erzählt, offensichtlich beeinflußt von einer Quelle, die die »populäre« Politik eines Teils des Senats im 1. Jahrhundert v. Chr. reflektiert, aber ohne offene Kritik an beiden Seiten. Livius deutet lediglich an, daß Coriolanus' Unversöhnlichkeit nicht im Interesse des Senats gewesen sei: mit etwas mehr Bereitschaft zum Kompromiß, d. h. mit der Herabsetzung des Kornpreises, hätten sich die Senatoren »von der tribunizischen Gewalt und allen ihnen gegen ihren Willen auferlegten Rechtsbeschränkungen freikaufen können« (2,34,12).

Die besten Geschichten lassen sich jedoch den Interessen und Zwecken einer Vielzahl von Erzählern anpassen. Plutarch war der Ansicht, Coriolanus' Verhalten sei nach dem frühen Tod seines Vaters von dem Wunsch motiviert gewesen, seiner Mutter (in dieser Version Volumnia genannt) Freude zu machen, und er sei ihr mit all dem kindlichen Respekt begegnet, den er einem Vater erwiesen hätte. Plutarch stellte seinen Coriolanus dem Athener Alkibiades gegenüber (der in der Verbannung ebenfalls zum Verräter wurde) und führt Eigenschaften an, die die Parallelen zwischen

Coriolanus sieht sich den Vorwürfen seiner Mutter ausgesetzt. Italienische Majolikaschüssel (1544)

den beiden hervorheben. Wie ein tragischer Held hat sich Coriolanus aufgrund seines Stolzes, seiner ungezügelten Aggression und Intoleranz seinen Sturz großenteils selbst zuzuschreiben, und er begibt sich, fest entschlossen, sich an Rom zu rächen, ins Exil. Plutarchs Version ist wesentlich dramatischer und emotionaler als die des Livius; es überrascht nicht, daß gerade sie spätere Schriftsteller inspirierte.

Um dem orthodoxen politischen Denken seiner Zeit Rechnung zu tragen, aber auch um Coriolanus' Glaubwürdigkeit als eines tragischen Helden zu stärken, rechtfertigt Shakespeare in seinem *Coriolanus* gewissermaßen dessen verächtliche Arroganz, indem er einen Hinweis bei Plutarch aufgreift und die Führer des Volkes als niedriggesinnte, manipulierende Unruhestifter darstellt. Andererseits ist Coriolanus für den Kommunisten Bertolt Brecht, der ein unvollendetes Theaterstück mit dem Titel *Coriolan* hinterließ, alles andere als ein Held. Sein falscher Stolz, in dem er sich für unentbehrlich und unersetzlich hält, wird entlarvt; das gemeine Volk Roms kommt, wenn es vereint handelt, sehr wohl ohne ihn aus.

Familientraditionen, und wie die Geschichte sich selbst wiederholt

Jede bedeutende römische *gens* hatte ihre eigene Sammlung von Sagen und Legenden. Zwei Beispiele, eines aus der frühen, eines aus der mittleren Republik, wollen wir hier vorlegen.

Die Fabier gehörten zu den vornehmsten Familien der frühen Republik. In dem Zeitraum von 485 bis 479 v. Chr. stellten sie alljährlich einen der beiden Konsuln. Während des größten Teils dieser Zeit befand sich Rom in einem unentschieden hin und her wogenden Krieg mit Veji, einer etruskischen Stadt, die Rom die Kontrolle über die lebenswichtigen Handelswege im Tibertal streitig machte. Die Vejenter fielen häufig in römisches Gebiet ein, zogen sich aber wieder zurück, ehe die Legionen sie in eine offene Feldschlacht verwickeln konnten. Doch auch andere Kriege drohten, die Soldaten wurden andernorts gebraucht. Da machten die Fabier dem Senat ein überraschendes und verlockendes Angebot: »Führt ihr die anderen Kriege und laßt die Feinde von Veji den Fabiern. Wir verbürgen uns dafür, daß die Würde des römischen Namens dort gesichert bleibt. Wir haben vor, diesen Krieg als den unseren, sozusagen als unsere Privatfehde auf eigene Kosten zu führen. Der Staat soll hierfür weder Truppen noch Geldmittel aufzuwenden haben.« (Livius 2,48,8f.)

Die ganze Stadt strömte zusammen, um die Krieger, 306 an der Zahl, »alle von Adel, alle von einem Stamm« (2,49,4) unter ihrem Anführer, einem der Konsuln des Jahres 478 v. Chr., abmarschieren zu sehen. Am Fluß Cremera errichteten sie eine Festung; dort bezogen sie Stellung und lieferten sich häufige Scharmützel mit den Vejentern. Doch letztere entwarfen einen Plan: Sie ließen Herden und Bauernhöfe zuweilen unbewacht; ihre bewaffneten Schutztruppen ergriffen bei Zusammentreffen mit den Fabiern scheinbar verängstigt die Flucht. Schließlich begannen die Fabier ihren Feind zu verachten und leichtsinnig zu werden; in der Folge gerieten sie eines Tages – es war der 13. Februar – in einen Hinterhalt, als sie anscheinend unbewachtes Vieh davontreiben wollten. Alle Fabier kamen um – d. h. alle außer einem, der kaum dem Knabenalter entwachsen war. Er wurde zum Ahnherrn des künftigen Fabiergeschlechts.

Das war die Geschichte, wie sie von der Familie erzählt wurde. Unter den griechischen Schriftstellern gab es jedoch einige, die diese Fassung als nicht ganz richtig entlarvten. Ihnen zufolge führten die Fabier den Kampf nicht allein, sondern als Teil einer Legion von viertausend Mann. Dionysios bezeichnet sie als eine Geschichte »wie aus einer Sage oder dem Theater«. Die Zahl der Beteiligten an diesem Feldzug ähnelt (wie auch die Jahreszahl) verdächtig den Angaben über die Spartaner, die sich in der Thermopylenschlacht der Streitmacht des Xerxes entgegenstellten.

Die Familiengeschichte der *Decii* erhielt zusätzlichen Glanz durch eine Tat, deren sich gleich mehrere Generationen rühmen konnten. Im Jahr 340 v. Chr. verhieß das von Konsul Publius Decius Mus vor einer Schlacht gegen die Latiner dargebrachte Opfer Unheil für seine Sippe (es handelte sich übrigens um die gleiche

Schlacht, in der der Sohn des zweiten Konsuls jenes Jahres, Titus Manlius Torquatus, sich befehlswidrig mit dem Feind auf einen Zweikampf einließ – s. S. 73f.). Als der von ihm befehligte Heeresflügel vom Feind immer weiter zurückgedrängt wurde, entschloß sich Decius zu einer *devotio* (Selbstaufopferung), um damit die Götter gnädig zu stimmen und seine Legionen vielleicht retten zu können.

Er legte eine mit Purpur eingefaßte Toga an, bedeckte sein Haupt und wiederholte, auf einen Speer gelehnt und eine Hand am Kinn, die Eidesformel, die er sich vom Oberpriester hatte vorsprechen lassen. Er rief Ianus, Iuppiter, Mars, Quirinus, Bellona und die Laren an, neue Götter und einheimische, Götter der Römer und ihrer Feinde und die Götter der Unterwelt und bat sie, Macht und Sieg dem römischen Volk, den Quiriten, zuzusprechen, ihre Feinde aber mit Schrecken und Tod zu schlagen. Dann gürtete er seine Toga nach der rituellen »gabinischen Art« um die Hüften und stürmte auf seinem Pferd mitten ins gegnerische Heer. Der Feind war durch den Angriff völlig verwirrt, die Römer gewannen frischen Mut; und während Decius in einem Geschoßhagel fiel, wandte sich das Kriegsglück.

Fünfundfünfzig Jahre später machte Decius' Sohn, zum vierten Mal Konsul, in der Schlacht gegen die vereinten Streitkräfte von Galliern und Samniten bei Sentium genau die gleiche *devotio*. Dies war die Entscheidungsschlacht des Dritten Samnitischen Krieges; ihr Sieg sicherte den Römern die Vorherrschaft in Italien.

So weit, so gut; Cicero kannte jedoch eine Geschichte, nach der auch der Enkel in der Schlacht am Aufidus im Jahr 279 v. Chr. dem Beispiel des Vaters und des Großvaters gefolgt sein soll. Anderen Quellen zufolge ist dieser Decius dagegen 265 v. Chr. noch am Leben. Vielleicht wurde seine *devotio* von den Göttern nicht angenommen, und er überlebte den heldenhaften Angriff auf die Feinde. In diesem Fall durfte er sich kein zweites Mal weihen; vielmehr mußte, wie Livius berichtet, ein lebensgroßes Bild statt seiner begraben werden. Der Nachteil war, daß jemand, der sich erfolglos dem Tod geweiht hatte, fortan an keinen religiösen Riten mehr teilnehmen durfte.

Allerdings brauchte der Feldherr sich keineswegs selbst zu opfern; an seiner Stelle konnte sich auch ein Legionär »als Freiwilliger« den Göttern und dem Tod weihen. Vielleicht war der dritte Decius einfach der Meinung, die Familientradition gehe allmählich zu weit.

Legendäre Frauen

Auch um römische Frauen, gute wie böse, ranken sich Sagen. Sie mögen uns attraktiver erscheinen als die Geschichten über die sich in Selbstverleugnung übenden Helden, doch obgleich sie zuweilen romantische, ja sogar tragische Elemente enthalten, zeigt sich bei genauerem Hinsehen, daß sie für die Römer den gleichen ursprünglichen Zweck erfüllten wie die Geschichten über Roms Heroen. Sie sollten die Akzeptanz der römischen Tugenden, insbesondere Selbstbeherrschung und Selbstdisziplin, im Interesse des Staates und seiner Sicherheit fördern.

Tarpeia, die Verräterin

Wir wollen mit einer recht niederträchtigen Dame beginnen, mit Tarpeia. Man brauchte eine Geschichte, die den althergebrachten Namen eines Felsens am Südostabhang des Kapitolinischen Hügels erklären konnte.
Der Kern der Sage ist mit zwei Sätzen erzählt. Als König Tatius und seine Sabiner Rom belagerten, um ihre entführten Frauen und Mädchen zurückzuholen, ließ sich Tarpeia, die Tochter des römischen Befehlshabers auf dem Kapitol, die zum Wasserholen vor die Stadttore gegangen war, dazu überreden, die Feinde heimlich in die Kapitolinische Burg einzulassen. Sobald sie ihr Versprechen eingelöst hatte, warfen die Sabiner ihre Schilde auf sie und töteten sie.
Hier beginnen die Schwierigkeiten. Warum ließ Tarpeia die Sabi-

ner in die Burg? Nach der Version, die Tarpeia als Verräterin sieht, handelte sie aus reiner Gier: Die schweren goldenen Armreife und Ringe der Sabiner hatten es ihr angetan, und sie hatte eingewilligt, die Burg für Gold zu verraten. Nach Erfüllung ihres Teils der Abmachung forderte sie von den Sabinern das, »was sie an der linken Hand trügen« (Livius 1,11,8). Natürlich meinte Tarpeia damit den Schmuck, doch die Sabiner häuften statt dessen ihre schweren Schilde über sie, so daß sie von deren Gewicht erdrückt wurde.

Die Münze zeigt Tarpeia, bereits bis zur Hüfte von Sabiner-Schilden bedeckt

Der Dichter Properz, ein Zeitgenosse Vergils und Ovids, gab der Geschichte eine romantisch erscheinende Wendung (wobei ein römischen Dichtern wohlbekannter griechischer Mythos eine nicht unbedeutende Rolle gespielt haben dürfte): In seiner Fassung verliebte sich Tarpeia in den König, als sie ihn in voller Rüstung heransprengen sah. Als Belohnung für ihren Verrat verlangte sie, Tatius' Braut zu werden. Doch auch in diesem Fall erhielt sie nicht den geforderten Lohn, sondern bezahlte ihr Tun mit dem Leben. Für die Römer war Liebe als Motiv nämlich ebensowenig akzeptabel wie Gier nach Reichtum, vor allem, wenn sie mit patriotischen Pflichten kollidierte. Properz läßt keinen Zweifel daran, daß Tarpeia verdiente, was ihr widerfuhr – selbst der sabinische Feind verurteilte ihr Verbrechen –, ja, er vergrößert ihre Schuld noch, indem er der Version der Geschichte folgt, wonach Tarpeia eine zur Keuschheit verpflichtete Vestalin war.

Es gab aber auch noch eine ganz andere Version. Danach war Tarpeia keine Verräterin, sondern eine Heldin, die aus den edelsten Motiven heraus handelte. Diese Tarpeia wollte zur Vernichtung der Sabiner beitragen. Als sie von diesen verlangte, sie sollten ihr geben, »was sie an den linken Armen trügen«, habe sie dies in der Absicht getan, die Feinde des Schutzes durch ihre Schilde zu berauben und dann Alarm zu schlagen; die Sabiner durchschauten jedoch die List und töteten Tarpeia. Uns mag ihr Verhalten unglaublich naiv vorkommen, doch dies ist unerheblich. Die Heldin Tarpeia soll an der Stelle begraben sein, die ihren Namen trägt. Jedenfalls fanden dort alljährlich Trankopfer statt, die sich mit dieser Geschichte begründen ließen.

Andererseits stand der Tarpeische Felsen in recht zweifelhaftem Ruf. Wer wegen eines besonders schweren Verbrechens verurteilt worden war, wurde von diesem Felsen in die Tiefe gestürzt. Bei welchen Verbrechen außer Verrat diese Hinrichtungsart Anwendung fand, führen unsere Quellen nicht im einzelnen auf, und historische Fälle lassen sich nur schwer finden. Im Jahr 33 n. Chr. wurde ein Mann aus Spanien auf diese Weise hingerichtet, der des Inzests mit seiner Tochter beschuldigt worden war; in Wirklichkeit aber, so Tacitus, habe sich Kaiser Tiberius dessen Gold- und Bronzeminen aneignen wollen. Jedenfalls verlangte die düstere Assoziation eine entsprechende Geschichte, die diese zu erklären vermochte – deshalb Tarpeia die Verräterin mit ihren individualistischen und unpatriotischen Wünschen.

Ein nettes Mädchen

Weitaus nützlicher und heilsamer war da die Geschichte der Cloelia (aus einer Familie, die im ersten Jahrhundert der Republik mehrere Konsuln stellte). Lars Porsenna erklärte sich nach Scaevolas Heldentat zwar zum Abzug seiner Streitmacht bereit, forderte aber einige Geiseln, die im Etruskerlager nahe dem Tiberufer festgehalten wurden. Unter diesen Geiseln befand sich eine Jungfrau namens Cloelia. Sie plante die Flucht, die ihr und den mit ihr festgehaltenen Frauen die Freiheit bringen sollte. Mit einer List täuschte sie die Wachposten, schwamm – wie Livius berichtet (2,13,6) – »an der Spitze der Mädchen im Hagel der Geschosse durch den Tiber« und brachte ihre Gefährtinnen wohlbehalten zu ihren Familien zurück.

Wieder einmal fühlte sich Porsenna zwischen Zorn und Bewunderung hin und her gerissen, doch diesmal machten die Regeln der Kriegsführung die Sache komplizierter. Porsenna erklärte, die Tat übertreffe noch die eines Horatius Cocles und Scaevola. Schicke man ihm Cloelia nicht als Geisel zurück, bedeute dies in seinen Augen einen Bruch der getroffenen Abmachungen; bringe man sie ihm aber, werde er sie unberührt und unversehrt zu ihren Angehörigen zurückkehren lassen. Die Römer gaben sie zurück, und der Etruskerkönig hielt nicht nur sein Wort, sondern machte Cloelia sogar einen Teil der Geiseln zum Geschenk; sie selbst durfte auswählen, wen sie mitnehmen wolle. Ihre Wahl fiel, so wird berichtet, auf die Knaben, die noch nicht in die Pubertät gekommen waren, und zwar aus zwei Gründen: Zum einen hätte es sich für ein junges Mädchen nicht geziemt, sexuell reife Männer auszuwählen; zum anderen befreite sie »gerade diejenigen aus der Hand der Feinde, die ihrem Alter entsprechend einer Entehrung am meisten ausgesetzt waren«. Nachdem der Friede wiederhergestellt war, so berichtet Livius weiter, »belohnten die Römer die für eine Frau ungewöhnliche Tapferkeit mit einer ungewöhnlichen Ehrung, nämlich mit einer Reiterstatue. Am höchsten Punkt der Heiligen Straße wurde das Denkmal einer Jungfrau zu Pferde errichtet.« (2,13,10f.)

Das Pferd taucht – zumindest bei Livius – etwas unvermittelt in der Geschichte auf, die ja immerhin dazu dienen sollte, ein römisches Denkmal, eben die Statue einer Jungfrau zu Pferde, zu erklären. Plutarch allerdings weiß zu berichten, daß Porsenna Cloelia in Anerkennung ihres Mutes ein Pferd geschenkt habe. Das ursprüngliche Standbild war 30 v. Chr. durch ein Feuer zerstört und durch ein neues ersetzt worden. Reiten gehörte aller Wahrscheinlichkeit nach ebensowenig wie Schwimmen zu den normalen Aktivitäten vornehmer und offenbar wohlbehüteter junger Römerinnen in der frühen Republik. Die Geschichte, wie Livius sie erzählt, vereinigt in sich mehrere Funktionen. Sie ist Teil der stolzen Tradition einer Adelsfamilie, sie begründet eine Statue, und sie trägt, wie die Geschichte um Scaevola, dazu bei, zu verstehen, warum Porsenna aus Rom abzog. Zudem liefert sie deutliche Hinweise auf die moralischen Ansichten und das Sexualverhalten, die als wünschenswert galten – und läßt ahnen, welche Behandlung sowohl junge Frauen als auch Knaben ohne den Status freier Bürger oder elterlichen Schutz in Rom möglicherweise zu erwarten hatten.

Verhalten und Ruf

Großer Wert wurde der *pudicitia*, der Keuschheit und Sittsamkeit, römischer Frauen beigemessen, allerdings wurde sie bei keinen wichtiger genommen als bei den Vestalischen Jungfrauen, den Hüterinnen des heiligen Feuers der Vesta, war deren Reinheit doch zugleich Symbol und Garantie für das Wohlergehen Roms. Brachen sie ihre Verpflichtung zur Jungfräulichkeit (für gewöhnlich in Zeiten nationaler Krisen), wurden sie in einer unterirdischen Kammer lebendig begraben – eine Strafe, die während der Republik mehrmals über Vestalinnen verhängt wurde.
In Verdacht zu geraten war leicht. Im Jahr 420 v. Chr., so heißt es, wurde Postumia, deren Bruder kurz zuvor für seinen Anteil an der römischen Niederlage bei Veji zu einer Geldstrafe verurteilt worden war, vor den Priestern der Unkeuschheit angeklagt. Tatsächlich hatte sie sich nichts zuschulden kommen lassen, doch stand sie »wegen ihrer für das Ansehen einer Jungfrau allzu liebreizenden Kleidung und ihres freimütigen Geistes« in zweifelhaftem Ruf. Postumia hatte Glück. Sie wurde für unschuldig befunden und kam mit einer Verwarnung davon. Künftig, so ermahnte der Priester sie, habe sie »sich loser Reden zu enthalten und sich besser fromm als elegant zu kleiden« (Livius 4,44,11 f.).

Einigen Glücklichen verhalfen die Götter auf wunderbare Weise zu einer Bestätigung, daß sie nicht gegen das Gebot der Jungfräulichkeit verstoßen hatten. Aemilia, eine schon länger dienende Vestalin, hatte das Feuer der Obhut einer neuen Kollegin anvertraut, und diese hatte es erlöschen lassen. Als das bekannt wurde, verursachte die Nachricht in der Stadt große Beunruhigung, und die Priester beschlossen zu klären, ob Aemilia sich der Unkeuschheit schuldig gemacht habe. Die Hände dem Altar entgegengestreckt, betete die Vestalin zu ihrer Göttin:

Kopf der Vestalin Aemilia auf einer von einem Aemilius 65 v. Chr. herausgegebenen Münze

> Wenn ich fast dreißig Jahre lang alle meine heiligen Pflichten fromm und ordnungsgemäß erfüllt und dabei meine Gedanken rein und meinen Körper keusch bewahrt habe, dann offenbare dich, um mir zu helfen, und laß nicht zu, daß ich einen elenden Tod erleide; habe ich aber nur eine einzige gottlose Tat begangen, so laß mich die Stadt durch meine Bestrafung läutern.

Sie riß ein Stück von ihrem Gewand ab und warf es auf die erloschene Feuerstelle. Aus der kalten Asche loderte eine große Flamme auf.

Oder nehmen wir Tuccia, die, einem ähnlichen Vorwurf ausgesetzt, erklärte, sie würde ihre Unschuld mit Taten beweisen. Sie ging zum Tiber hinunter; ganz Rom strömte zusammen, um alles

Marmorkopf einer Vestalin mit kunstvoller Haartracht; diese Frisur wurde sonst nur von Bräuten an ihrem Hochzeitstag getragen

genau zu beobachten. Nachdem sie Vesta um ihren Beistand gebeten hatte, schöpfte Tuccia mit einem Sieb Wasser aus dem Fluß und trug es die ganze Strecke bis zum Altar der Göttin, ohne auch nur einen Tropfen zu verlieren. Nach anderen Quellen brachte sie es auf das Forum, wo sie es vor den Füßen der Priester auf den Boden schüttete – worauf ihr Ankläger auf mysteriöse Art verschwand und nie mehr gesehen ward.

Claudia und die Große Mutter

Einer der Höhepunkte des römischen Jahres waren die Anfang April stattfindenden und eine Woche dauernden *Megalesia* (»Große Spiele«). Die *ludi megalenses* wurden zu Ehren der *Mater Magna* (»Große Mutter«) oder Kybele veranstaltet. In der Geschichte, die sich um die Einführung der Göttin in Rom rankt, spielen Mitglieder prominenter Familien eine Rolle. Eine dieser Personen war eine Frau. Im Jahr 204 v. Chr. grassierte während des Krieges gegen Hannibal im Heer eine Seuche, und ungünstige Vorzeichen häuften sich. Man zog die *Sibyllinischen Bücher* zu Rate, die beschieden, daß die übliche Maßnahme Abhilfe böte – die Einführung eines neuen Kultes. Es fand sich eine Prophezeiung, der zufolge ein fremder Eindringling aus Italien vertrieben werden könne, wenn man Kybele aus Pessinos in Phrygien nach Rom hole. Fünf römische Senatoren begaben sich als Abgesandte zu König Attalos nach Pergamon und erhielten den heiligen schwarzen Stein, der die Göttin verkörperte. Auf einem vorbereiteten Spezialschiff machte der Stein die lange Reise durch das Mittelmeer, ehe er die Tibermündung erreichte. Ovid schildert die Ereignisse, die dann folgten, am dramatischsten:

> In buntem Zuge geht der ganze Ritterstand, der würdige Senat und das Volk ihr zur Mündung des tuskischen Flusses entgegen. Zugleich kommen in feierlichem Zuge die Mütter, die Töchter, die Ehefrauen, die Jungfrauen, die den heiligen Herd in Keuschheit wahren. Die Männer mühen mit gespanntem Seile ihre un-

ermüdlichen Arme, schwer kämpft das fremde Schiff gegen den Strom. Lange hatte im Lande Trockenheit geherrscht; die Pflanzen waren ausgebrannt vor Durst: So saß das schwere Schiff im Schlamm des Grundes fest. Ein jeder, der mit Hand anlegt, greift über seine Kräfte zu und unterstützt mit lautem Ruf die starken Hände. Doch das Schiff sitzt fest, unbewegt, wie eine Insel mitten auf dem Meer; erschrocken über dieses Zeichen stehen die Männer da und fürchten sich.

Quinta Claudia leitete von dem adligen Clausus ihre Herkunft ab, und ihre Schönheit war ihrem Adel ebenbürtig. Keusch war sie, doch galt sie nicht dafür. Böses Gerede hatte ihren Ruf verletzt, und falsche Beschuldigungen waren laut geworden. Ihre Kleidung, ihr öffentliches Auftreten mit kunstvoll frisiertem Haar und ihre scharfe Zunge gegen die soliden alten Bürger hatten ihrem Ruf geschadet. Im Bewußtsein ihrer Unschuld verlachte sie die Lügenreden: aber wir Menschen neigen dazu, das Schlechteste zu glauben.

Sie tritt aus der Schar der züchtigen Matronen hervor, schöpft dreimal mit den Händen reines Wasser aus dem Fluß, besprengt dreimal ihr Haupt, hebt dreimal ihre Hände zum Himmel: die es sehen, glauben, sie sei nicht bei Sinnen – da beugt sie das Knie, richtet ihre Augen auf das Bild der Göttin und spricht mit aufgelöstem Haar diese Worte: »Milde Göttermutter, die du an Kindern reich gesegnet bist, nimm das Gebet einer demütig Bittenden unter einer bestimmten Bedingung an: Man glaubt mir meine Unschuld nicht: Wenn du mich strafst, bekenne ich mich schuldig; mit dem Tode will ich meine Strafe büßen, wenn die Göttin mich verurteilt hat. Doch wenn ich frei von Schuld bin, bürge du für meinen Lebenswandel durch die Tat und folge, eine reine Göttin, meinen reinen Händen!« Sprachs und zog das Seil mit leichter Mühe – was ich berichten will, das mutet wie ein Wunder an, doch es ist auch durch die Bühne bezeugt –, die Göttin regte sich – sie folgt der Führerin und gibt durch ihr Folgen Zeugnis.

(*Fasten* 4,293–327)

Die Geschichte wurde (vermutlich während des Festes) in Theaterstücken aufgeführt und dürfte recht populär gewesen sein. Es gab jedoch auch eine andere, etwas weniger pathetische Version. Das Orakel hatte verkündet, daß die Göttin von dem besten Römer und der besten Römerin zu begrüßen sei. Beim besten Römer fiel die Wahl des Senats (wahrscheinlich nicht zufällig) auf einen jungen Mann, der selbst noch keine Beamtenlaufbahn eingeschlagen hatte, aber ein Vetter des Scipio war – jenes Scipio, der im Jahr zuvor Konsul gewesen war und den Krieg gegen Hannibal in Afrika siegreich beendete. »Welches genau die Tugenden waren, aufgrund deren sie ihre Wahl trafen«, bemerkt Livius trocken, »würde ich gerne der Nachwelt überliefern, wenn nur die Chronisten jener Zeit sich dazu geäußert hätten; eigene Vermutungen will ich aber über eine so weit zurück liegende Sache nicht anstellen« (29,14,9).

Auch in dieser Fassung kommt Claudia (deren anderer Name, »Quinta«, vermuten läßt, daß sie die jüngste von fünf Schwestern war) vor. Sie gehörte der gleichen bedeutenden römischen Sippe an wie einer der beiden Zensoren des Jahres 204, die u. a. für die Vergabe von Aufträgen für den Bau des Tempels der neuen Göttin zuständig waren. Darüber, ob der Einfluß des Zensors etwas damit zu tun hatte, daß eine seiner Verwandten als »beste der römischen Frauen« ausgewählt wurde, kann man nur Vermutungen anstellen. Ihre Nominierung stellte jedenfalls einen weiteren ehrenvollen Eintrag in der Familienchronik dar.

Die »populäre« Version wurde möglicherweise ursprünglich von jemandem in Umlauf gesetzt, der der Familie feindlich gesinnt war, doch gab sie eine viel bessere Geschichte ab. Sie eignete sich auch wesentlich besser für moralisierende Betrachtungen, da sie in Einzelheiten ging. Sittsame Frauen zogen die Meinung ehrwürdiger Greise der Gemeinschaft nicht in Zweifel, sittsame Frauen putzten sich nicht heraus. Weshalb sollten sie anderen Männern außer ihren eigenen gefallen wollen? Dies war die konventionelle Ansicht, wie sie von vielen römischen Schriftstellern verkündet wurde (auch wenn Ovid in seinen mit Absicht »schockierenden« erotischen Dichtungen oft die entgegengesetzte Position bezieht).

Männer übten Selbstdisziplin, Frauen mußten dazu gezwungen werden, tugendhaft zu sein. Wie römische Männer in der Vergangenheit ihre Vorstellungen von angemessenem Verhalten durchsetzten, spiegelte sich in mehreren (wahrscheinlich apokryphen) Geschichten. So soll z. B. eine Frau von ihrer Familie dem Hungertod preisgegeben worden sein, weil sie die Schlüssel zum Weinkeller an sich genommen hatte. Erzählt wird auch von einer Frau, deren Mann sich von ihr scheiden ließ, weil sie ohne sein Wissen zu den Spielen gegangen war, und von einer anderen, deren Gatte sie verließ, weil sie sich unverschleiert in der Öffentlichkeit gezeigt hatte.

Wann die Geschichte der »guten« Claudia aufkam, ist nicht bekannt. Bei Cicero im ersten vorchristlichen Jahrhundert findet sich kein Hinweis darauf, was aber nicht bedeutet, daß es sie nicht gab; die andere Version eignete sich für seine Zwecke besser. Sein politischer Gegner Publius Clodius, ein Sproß der bedeutenden Sippe, hatte eine Schwester, eine »lustige Witwe«. Es wurde angenommen, daß in Wirklichkeit sie hinter der Klage stand, die 56 v. Chr. gegen Ciceros Freund Caelius wegen Giftmordes angestrengt wurde. In seiner Verteidigungsrede legt Cicero seine eigene Deutung von Clodias Lebensstil dar, nachdem er zunächst den Geist eines ihrer berühmten Vorfahren, Appius Claudius Caecus (»der Blinde«), Zensor im Jahr 312 v. Chr., sie für ihr Verhalten hatte rügen lassen. »Stellen wir uns eine Frau vor«, sagt er, »natürlich nicht *sie* –, die sich jedem an den Hals wirft und mit ihren Liebhabern herumstolziert, die alle möglichen Formen von Zügellosigkeit in ihrem Privatpark, ihrer römischen Villa, ihrem Strandhaus in Baiae duldet; die jungen Männern Geld schenkt« (*Pro Caelio* 16,38) – die, kurz gesagt, ein schamloses Flittchen und eine Verschwenderin mit dem Gebaren einer Hure ist. Was hatte Clodia getan, um sich solchen Vorwürfen auszusetzen? Der Augenschein sprach ebenso gegen sie wie gegen Claudia Quinta: Sie war reich, empfing häufig Gäste, besaß ein Ferienhaus und zeigte sich mit jungen Männern in der Öffentlichkeit. Sie war Witwe, hatte aber weder erkennen lassen, daß sie nicht mehr auf Freiersfüßen wandelte, noch hatte sie das Nächstliegende getan, nämlich wieder geheiratet.

Scheidungen waren in Rom nichts Seltenes. Sie waren von beiden Geschlechtern leicht zu erlangen, und man erwartete allgemein, daß Witwen und geschiedene Frauen wieder heirateten. Dennoch blieb das herrschende moralische Ideal, wie wenig in der Praxis auch gelebt, die *univira*, die »Ein-Mann-Frau«, d. h. die Frau, die als jungfräuliches Mädchen in die Ehe ging und ihr Leben lang keinerlei Beziehungen mit einem anderen Mann hatte. In einer Gesellschaft, in der alle Frauen als *univirae* lebten, hätten sich die Männer zweifellos sicherer fühlen können. Zwei weitere Geschichten – von denen eine noch heute berühmt ist – sagen indirekt etwas über die unterschwelligen Ängste römischer Männer aus.

Tyrannei, Wollust und Revolution: Appius und Verginia

Die Claudier waren eines der ältesten und vornehmsten Geschlechter Roms, und sie waren stolz auf ihre Geschichte. 79 v. Chr. ließ ein Claudius, der in jenem Jahr Konsul war, Tafeln an den Mauern des (über zwei Jahrhunderte zuvor von seinem Vorfahren Appius Claudius Caecus errichteten) Tempels der Kriegsgöttin Bellona anbringen, auf denen die Ruhmestaten seiner Familie verzeichnet waren.

Allerdings gab es in Rom auch eine nicht minder einflußreiche Überlieferung, die sich gegen die Claudier richtete und ihnen eingefleischte Arroganz und tyrannisches Betragen dem Volk gegenüber vorwarf. Einer der schlimmsten soll der Dezemvir Appius Claudius, Konsul des Jahres 451 v. Chr., gewesen sein. Er gehörte dem Zehnmännerkollegium (*decemviri*) an, das in jenem Jahr eingesetzt wurde, um Roms erstes kodifiziertes Gesetzeswerk zu erstellen. Das Ergebnis waren die zwölf Gesetzestafeln; zehn entstanden im ersten Jahr, zwei weitere wurden im Jahr 450 von einer anderen Zehnerkommission verfaßt; Appius war der einzige, der beiden Gremien angehörte. Die zweite Kommission lehnte es, auf Betreiben des Appius, ab, nach Beendigung ihrer Arbeit zurückzutreten oder Wahlen abzuhalten, und leitete eine Schreckensherrschaft in Rom ein.

Dieser Appius begehrte ein Mädchen aus dem Volk – einige Berichte nennen sie treffend Verginia und ihren Vater Verginius –, das bereits mit Icilius, einem politischen Aktivisten aus den Reihen der Plebejer, verlobt war. Als es Appius nicht gelang, Verginia zu verführen, wies er Marcus Claudius, einen seiner Klienten, an, sie als seine Sklavin zu beanspruchen. Der Mann tat, wie ihm geheißen, stellte sich ihr eines Morgens, als sie mit ihrer Begleiterin das Forum betrat, in den Weg und erklärte vor Zeugen, daß sie seine Sklavin sei. Er brachte sie vor Gericht, und natürlich saß Appius Claudius auf dem Richterstuhl.

In einem Verfahren, in dem eine Person von einer anderen als Sklave beansprucht wurde, konnte der oder die Betroffene seine bzw. ihre Freiheit nicht mehr selbst gerichtlich verteidigen; dies mußte ein anderer Bürger – im Fall der Verginia ihr Vater – übernehmen. Verginius aber befand sich bei seiner Legion im Feldlager, so daß es ihm unmöglich war, für seine Tochter einzutreten. Dessen ungeachtet wollte Appius die Verhandlung sogleich stattfinden lassen, auf Druck der Anwesenden sah er sich jedoch gezwungen, das Verfahren auf den nächsten Tag zu verschieben. In der Zwischenzeit, so beschied er, solle das Mädchen in der Obhut des Besitzklägers – und damit unter seinem eigenen Zugriff – verbleiben. Verginias Verlobter erhob energischen Einspruch – er wußte, was eine Sklavin in einer solchen Situation zu erwarten hatte:

> »Mit dem Schwerte mußt du mich von hier vertreiben, Appius«, sagte er, »damit du im stillen erreichst, was du verheimlicht haben willst! Ich werde diese junge Frau heiraten und will sie als keusche Braut besitzen! Rufe demnach alle Liktoren, auch die deiner Kollegen zusammen und laß Ruten und Beile bereithalten: des Icilius Verlobte wird im Hause ihres Vaters bleiben! Wenn ihr den Bürgern Roms auch den Beistand der Tribunen und das Berufungsrecht, die zwei Festen zum Schutze der Freiheit, genommen habt, so ist deswegen eurer Willkür keine All-

macht über unsere Frauen und Kinder gegeben. Wütet gegen unsere Rücken und Nacken: wenigstens die Keuschheit soll unangetastet bleiben!«

(Livius 3,45,6–9)

Appius gab für den Augenblick nach und ließ Verginia über Nacht in Freiheit. Ihre Freunde sorgten dafür, daß ihr Vater schnellstens herbeigeholt wurde. Appius' Brief an die Vorgesetzten des Verginius mit der Order, diesem keinen Ausgang zu geben, traf zu spät im Lager ein, und Verginius erschien am nächsten Morgen im Gericht. Appius gestattete ihm jedoch nicht einmal, Gegenklage zu erheben, sondern entschied sofort zugunsten von Verginias angeblichem Besitzer. Sicherheitshalber hatte er sich von Bewaffneten begleiten lassen, und mit einem unmißverständlichen Hinweis auf diese Eskorte erstickte er jeden Gedanken an Aufruhr im Keim. Er erfüllte aber Verginius' Bitte, in Gegenwart seiner Tochter deren Amme befragen zu dürfen, »was es mit der Sache auf sich hat, damit ich gelasseneren Sinnes von hier gehe, sollte ich fälschlich Vater genannt sein« (3,48,4).

Verginius führte die beiden Frauen zur Seite. Bei einem der Läden auf dem Forum entriß er einem Fleischer das Messer und stieß es seiner Tochter mit den Worten in die Brust: »Mit dem einzigen Mittel, dessen ich mächtig bin, rette ich dich, meine Tochter, in die Freiheit!« (3,48,5.) Nachdem er Appius verflucht hatte, verließ Verginius im Schutz der Menschenmenge die Stadt und eilte zum Feldlager zurück, wo der Bericht über das schändliche Verhalten des Dezemvirs eine Revolte auslöste, während Icilius und einer von Verginias Verwandten das gemeine Volk in der Stadt zur Rebellion führten. Die Folge war eine Revolution. Die Dezemvirn wurden gestürzt, das Volk konnte erneut seine Tribunen wählen, die es gegen Willkür und Gewalt seitens der adligen Beamten schützen sollten.

Die Vergewaltigung der Lucretia

Tyrannei, Wollust und Revolution sind auch die Zutaten einer der bekanntesten Geschichten der Antike; Livius erzählt sie uns so: Im Jahr 509 v. Chr. brach Tarquinius Superbus einen Krieg mit Ardea vom Zaun. Anlaß war die Prunk- und Verschwendungssucht des Königs: Seine ehrgeizigen Bauprojekte hatten die Staatskasse geleert, und er brauchte zudem Kriegsbeute, um das Volk zu besänftigen, das sich gegen die Sklavenarbeit zu empören begann, zu der er es mißbrauchte. Als während der Belagerung von Ardea die Söhne des Königs eines Abends in fröhlicher Runde mit ihrem Vetter Collatinus zechten, kam es zum Streit darüber, wessen Gattin die beste sei. Auf Collatinus' Vorschlag hin beschlossen sie, nach Rom zu reiten und ohne Vorankündigung bei ihren Frauen aufzutauchen, um zu sehen, was diese während ihrer Abwesenheit trieben.

Die Gattinnen der Prinzen vergnügten sich im Kreis ihrer Freundinnen auf Abendgesellschaften. In Collatia, dem Wohnsitz des Collatinus, dagegen fanden sie Lucretia auf eine Art und Weise beschäftigt, die, wie die Römer gern glaubten, typisch für altmodische Tugendhaftigkeit war: Sie saß, trotz der späten Nachtzeit noch in die Arbeit mit ihrer Wolle vertieft, inmitten ihrer Mägde. Collatinus hatte gewonnen; doch Lucretias erwiesene Keuschheit hatte ebenso wie ihre Schönheit die Begierde des Königssohnes Sextus Tarquinius geweckt.

Nur wenige Tage später besuchte Sextus ohne Wissen des Collatinus dessen Frau, von der er gastfreundlich aufgenommen wurde. Nachts drang er mit gezücktem Schwert in Lucretias Schlafzimmer ein und weckte sie. Er gestand ihr seine Liebe, flehte sie an, ihn zu erhören, und drohte ihr – vergebens. Schließlich erklärte er, er würde sie und einen Sklaven ermorden und dessen nackte Leiche neben sie legen, so daß es den Anschein habe, sie sei beim Ehebruch ertappt und getötet worden. Um dieser Schande zu entgehen, gab Lucretia nach. Sowie Tarquinius fort war, schickte sie nach ihrem Vater und ihrem Gatten und forderte beide auf, ohne Aufschub und in Begleitung je eines Freundes zu ihr zu kommen;

Collatinus brachte Lucius Iunius Brutus mit. Auf die Frage ihres Gemahls: »Steht alles gut?« antwortete Lucretia:

> Keineswegs. Wie könnte es auch gut stehen um eine Frau, die ihre Ehrbarkeit verloren hat? Die Spuren eines fremden Mannes sind in deinem Bett, Collatiner; doch ist mir nur der Leib entehrt, das Herz ist schuldlos; mein Tod wird dafür Zeugnis ablegen! Doch gebt mir Hand und Wort, daß der Schänder nicht straflos ausgehen wird!
>
> (1,58,7)

Die Männer versprachen es ihr, dann bemühten sie sich, sie zu trösten. Sie sei genötigt worden, erklärten sie, also treffe sie keine Schuld. Der Geist sündige, nicht der Körper, und wo es keine Absicht gegeben habe, gebe es auch keine Schuld. Darauf erwiderte Lucretia: »Ihr mögt darauf sehen, was jenem gebührt; ich aber befreie mich, auch wenn ich mich von Schuld freispreche, nicht von der Strafe; es soll künftig keine Schamlose unter Berufung auf Lucretia leben dürfen!« (1,58,10)
Nach diesen Worten stieß sie sich ein Messer, das sie in ihrem Gewand verborgen hatte, ins Herz. Ihre Angehörigen wurden von Kummer und Schmerz überwältigt, Brutus aber packte die bluttriefende Waffe und schwor, die Tarquinier zu vernichten und die Monarchie abzuschaffen. Er hatte unter der Herrschaft des Tarquinius Superbus überlebt (und, so heißt es, sein *cognomen* Brutus, »der Stumpfsinnige«, erhalten), weil er sich dumm und harmlos gab; jetzt legte er seine Verstellung ab. Zusammen mit Collatinus und Lucretius brachte er Lucretias Leichnam auf das Forum und hielt dort eine Rede, die das Volk gegen die Tarquinier aufbrachte. Die Folge war eine Revolution und der Beginn der römischen Republik.

Der Freitod der Lucretia. Kupferstich von Marcantonio Raimondi nach einem Entwurf Raffaels (um 1511–12). Die griechische Inschrift bedeutet: »Es ist besser zu sterben, als in Schande zu leben«

Lucretia: Eine Legende lebt weiter

Seit zweitausend Jahren übt diese Geschichte große Faszination auf Künstler und Schriftsteller aus; ihre Reihe reicht von Ovid, der, im Unterschied zu Livius, dem er sonst im wesentlichen folgt, den erotischen Aspekt betont, indem er auf Lucretias Gefühle im Augenblick der Vergewaltigung näher eingeht, bis zum derzeitigen Hofdichter der englischen Krone, Ted Hughes. Sie ist Thema eines der beiden langen Gedichte von Shakespeare (das andre ist *Venus und Adonis*), die Hughes als religiöse Mythen betrachtet, welche als Gerüst bei der Konstruktion aller Shakespeare-Stücke von *Ende gut, alles gut* bis zum *Sturm* fungieren.

Zahlreiche Autoren, so die englischen Dramatiker Thomas Heywood und Nathaniel Lee, der protestantische Reformer Heinrich Bullinger in der Schweiz des 16. Jahrhunderts und Voltaire in Frankreich, verfaßten Stücke, in denen Brutus und der Sturz der Monarchie stärker im Vordergrund stehen als Lucretias Schicksal. In Shakespeares Bearbeitung ist die politische Dimension kaum vorhanden; er konzentriert sich statt dessen auf die schwierigen inneren Konflikte des Tarquinius und vor allem der Lucretia, die durch die Hinzufügung christlicher Vorstellungen von Sünde und Schuld noch komplizierter werden. Ronald Duncan, der Librettist von Benjamin Brittens Oper *The Rape of Lucrece* (1947), führt christliche Kommentatoren ein, die die Handlung umrahmen. Keiner setzt sich jedoch mit der Frage auseinander, die bei Livius aufgeworfen, aber nicht beantwortet wird: Warum mußte Lucretia überhaupt sterben?

Die augenscheinliche Antwort, die Lucretia selbst gibt (»es soll künftig keine Schamlose unter Berufung auf Lucretia leben dürfen«), kann keine Antwort sein. Wenn Lucretia, wie ihr Vater und ihr Gatte beharrlich versichern, tatsächlich unschuldig ist, warum sollte sie dann als Präzedenzfall für freiwillige Unzucht gelten?

Der heilige Augustinus legte das Problem deutlich dar. Den meisten frühchristlichen Schriftstellern bereitete die Vorstellung keine Schwierigkeit, daß der Tod auch dem unfreiwilligen Verlust der Ehrbarkeit vorzuziehen sei. Für Augustinus war indes die Frage geistiger Schuld oder Unschuld von höchster Bedeutung; er weigerte sich, den Entschluß der Nonnen zu verurteilen, die nicht bereit waren, nach ihrer Vergewaltigung durch die 410 n. Chr. in Rom plündernden Goten sich selbst den Tod zu geben. In *De civitate Dei* (»Über den Gottesstaat«) geht er ausführlich auf Lucretias Fall ein und sieht sich einem Dilemma gegenüber. Stimmte Lucretia der Vergewaltigung im Geiste zu, beging sie Ehebruch, und mit ihrem Tod wurde nur der Gerechtigkeit Genüge getan; war ihr Geist aber unschuldig, dann war ihr Tod Selbstmord und damit eine Sünde. »Wenn sie zur Ehebrecherin wurde, warum wird sie gepriesen? Wenn sie keusch war, warum mußte sie dann sterben?«

Vergewaltigung und Politik

Die Antwort ist, vom römischen Standpunkt aus, nicht in der Diskussion über Lucretias Schuld oder Unschuld zu suchen, sondern im politischen Aspekt der Geschichte. Für die Römer sind Lucretias Vergewaltigung und Tod, wie auch der Angriff auf Verginia und deren Tod, Ereignisse innerhalb größerer – politischer – Zusammenhänge, in denen es um die Welt der Männer geht.

Für Livius und seine Zeitgenossen hatten die Geschichten eine besondere Bedeutung; sie sahen in den unkontrollierten Leidenschaften und Begierden der Männer, die ihre eigenen Interessen über die des Staates stellten, sowohl Symptome als auch Ursachen der Schwierigkeiten, mit denen die späte Republik zu kämpfen hatte und die zum Zusammenbruch dessen führten, was sie für eine demokratische Regierungsform hielten. Dieses ausschweifende Verhalten mußte wieder unter Kontrolle gebracht werden; ein Bestandteil von Augustus' Programm zur Heilung der Risse im sozialen Gefüge war die Einführung neuer und strenger Gesetze, die Ehebruch zu einer strafbaren Handlung machten, die strengstens geahndet wurde. Das war die Art von Lektion, die aus dem tyrannischen Verhalten eines Appius, eines Tarquinius und seines Soh-

nes sowie aus den Konsequenzen solchen Verhaltens gelernt werden sollte.
Lucretia und Verginia weckten in den Despoten Tarquinius und Appius Begierde und Wollust. Die Übergriffe auf die Frauen verletzten die autonome Kontrolle, die ein Ehemann oder Vater in seiner Familie ausübte, und gaben ein negatives Beispiel. (Dieses Prinzip galt übrigens auch im römischen Gesetz zur Wiedergutmachung von Schäden: die Beleidigung oder Verletzung einer Frau wurde, wie die eines Sklaven, als Schaden für den Vater, Ehemann oder Besitzer behandelt.) Der Tod der Lucretia, die zum »beschädigten Gut« wurde, und der Verginia, die offenbar mit Gewalt dazu gemacht werden sollte, signalisiert unmißverständlich, daß solche Übergriffe niemals toleriert werden würden, und erhält somit die Ordnung und den gegenseitigen Respekt unter römischen Männern aufrecht. Die öffentliche Zurschaustellung der Leichen liefert zudem die notwendige Provokation, um die übrigen Männer der Gemeinschaft zu veranlassen, gemeinsam dem Tyrannen, der ihre Vorrechte bedroht, das Handwerk zu legen.

Alte und neue Götter

Wie wir gesehen haben, wurden die Hauptgötter des römischen Pantheons den großen olympischen Göttern der Griechen angeglichen oder mit ihnen gleichgesetzt, und ihre Genealogien bzw. die Geschichten, die römische Schriftsteller über sie erzählen, entsprechen denen, die über die olympischen Originale im Umlauf sind. Es wurden auch einige fremde Götter in Rom eingeführt, die keine römischen Entsprechungen erhielten. Darüber hinaus hatten die Römer eigene, meist niedrige Götter, die sie privat wie öffentlich mit Altären, Opfern und Riten ehrten, an die sich aber kaum Geschichten knüpften und über deren Wesen und Person zuweilen nicht einmal eine klare Vorstellung bestand.
Auch nur die Namen aller römischen Götter zu erwähnen ginge an dieser Stelle zu weit; ein Beispiel soll jedoch zeigen, wie wenig die Römer selbst über sie zu sagen wußten.

Ein vergessener Gott: Wer war Vediovis?

Dem Vediovis (zuweilen auch Veiovis, Veovis oder Vedius genannt) waren drei Festtage im römischen Kalender – der 1. Januar, der 7. März und der 21. Mai – und zwei Tempel in Rom gewidmet. An den beiden ersten Festtagen wurde der Weihung der beiden Tempel im Jahr 194 bzw. 192 v. Chr. gedacht. Bereits davor hatte es ein Heiligtum auf dem Kapitolshügel gegeben; man fand Votivgaben aus dem siebten vorchristlichen Jahrhundert. Varro zufolge soll der Sabinerkönig Titus Tatius Vediovis in Rom einge-

führt haben; Ovid meinte, der Tempel befinde sich an dem Platz, wo Romulus sein Heiligtum errichtet hatte. Nach Livius waren beide Tempel Iuppiter geweiht.
Wer war Vediovis, und woher kommt sein Name? Ovid ist in den *Fasten* (3,436) überzeugt, daß es sich um den jugendlichen Iuppiter (*iuvenis*) handle. Neben dessen Statue befand sich das Abbild einer Ziege: Die Nymphen auf Kreta, in deren Obhut Iuppiters Mutter Rhea ihn als Säugling zurückließ, hatten ihn einst mit Ziegenmilch genährt.

> Jetzt muß ich noch den Namen erklären: Bauersfrauen nennen Korn, das schlecht gewachsen ist, *vegrandis*, und was klein ist, *vescus*. Wenn die Silbe (*ve-*) diesen Sinn hat, warum soll ich nicht vermuten, daß das Heiligtum des Veiovis der Tempel des »kleinen Iuppiter« ist?
>
> (3,445–448)

Im 2. Jahrhundert n. Chr. veröffentlichte ein Anwalt namens Aulus Gellius seine *Noctes Atticae* (»Attische Nächte«), zwanzig Bände mit kurzen Essays zu den verschiedensten Themen. Er gab sich große Mühe, »Vediovis« zu erklären. Die Namen Iovis = Iuppiter und Diovis, so sagte er, leiteten sich von helfen (*iuvando*) her, und die Vorsilbe *ve-* werde manchmal gebraucht, um ein Wort zu negieren, so daß Vediovis also möglicherweise ein »Anti-Iovis« war, ein Gott, der nicht half, der Hoffnungen enttäuschte oder gar schadete. Da die Statue im Heiligtum auf dem Kapitol Pfeile in der Hand hielt, die ja fraglos Schaden anrichten sollen, sei Vediovis andererseits häufig für Apollo gehalten worden. Der gelehrte Gellius wußte offensichtlich auch nicht mehr als andere.
Mit einigen wenigen der übernommenen fremden Götter waren Geschichten verbunden, die meist mit der Einführung ihres Kultes in Rom zu tun hatten. Zwei Beispiele mögen dies illustrieren.

Die Dioskuren

Den Griechen zufolge waren Zeus' Söhne (*Dios kuroi*) Kastor und Polydeukes (Castor und Pollux bei den Römern), die in Sparta besonders verehrt wurden, Brüder der von Paris nach Troja entführten Helena. Ihre Mutter war Leda, eine Sterbliche. Zeus, der sich in einen Schwan verwandelte, um sie zu verführen, war allerdings nur der Vater des Pollux. Dessen Zwillingsbruder Castor war dagegen von Ledas Gatten Tyndareos gezeugt worden und damit sterblich. Da Pollux aber auf die Unsterblichkeit, die er seiner göttlichen Abstammung verdankte, verzichten wollte, wenn Castor sie nicht mit ihm teilen konnte, gestattete Zeus einen Kompromiß, der vorsah, daß die Brüder in stetigem Wechsel einen Tag in der Unterwelt und einen Tag auf dem Olymp verbringen sollten. Sie galten als Schutzpatrone der Seeleute (oft sind sie mit Sternen auf ihren Mützen abgebildet) und ritten Schimmel.

Im Jahr 499 oder 496 schlugen die Römer am Regillus-See in der Gegend von Tusculum eine entscheidende Schlacht, in der sie die Latiner schließlich besiegten. Zuvor hatten die Römer während des noch hin und her wogenden Gefechts plötzlich zwei junge Männer auf Schimmeln über den Himmel reiten sehen. Unmittelbar nach dem Ende des Kampfes erschienen die beiden Reiter auf dem Forum in Rom und verkündeten den römischen Sieg. Sie tränkten ihre schweißgebadeten Pferde an einer Quelle, die der Nymphe Iuturna (Vergil machte aus ihr die Schwester des Turnus) geweiht war, dann verschwanden sie. Die Dioskuren pflegten durchaus zuweilen in Schlachten zu erscheinen; auch die Griechen wußten von ein, zwei solchen Vorfällen in ihrer Geschichte zu berichten.

Über dreihundert Jahre nach der Schlacht am Regillus-See, im Jahr 168 v. Chr., befand sich ein Mann namens Publius Vatinius eines Nachts auf dem Weg nach Rom, als plötzlich zwei schmucke junge Männer auf Schimmeln vor ihm auftauchten und verkündeten, der römische Feldherr Lucius Aemilius Paullus habe soeben den makedonischen König Perseus besiegt. Der Mann überbrachte die Nachricht dem Senat, doch die Senatoren glaubten, er wolle ihnen einen Streich spielen, und ließen ihn wegen Mißachtung ihrer Würde ins Gefängnis werfen. Schließlich traf jedoch eine Botschaft von Paullus ein, in der er seinen Sieg in der Schlacht bei Pydna meldete. Vatinius wurde daraufhin auf freien Fuß gesetzt und erhielt als Belohnung ein Stück Land. Die göttlichen Besucher sollen auch bei dieser Gelegenheit ihre Pferde an der heiligen Quelle getränkt haben; jedenfalls stand der benachbarte Tempel unerklärlicherweise offen.

Tatsächlich war dieser Tempel ursprünglich nur dem Castor geweiht (er war ihm vom römischen Feldherrn während der Schlacht am Regillus-See gelobt worden). Bei den Römern stand Castor, der Reiter, höher in der Gunst als Pollux, der Faustkämpfer; manchmal sprachen sie von den beiden sogar als den »Castores«. Ab 304 v. Chr. fand jedes Jahr am 15. Juli, an dem ihr Fest begangen wurde, eine Reiterparade statt; in den Zensus-Jahren (d. h. etwa alle fünf Jahre) wurde sie mit einer Musterung der Ritterschaft verbunden. Irgendwann schlief dieser Brauch ein und wurde erst von Augustus zu neuem Leben erweckt, der das Fest mit großem Pomp beging. Die Parade, an der manchmal bis zu fünftausend Ritter in voller Ausrüstung, mit Ölzweigen bekränzt und mit all ihren militärischen Auszeichnungen geschmückt, teilnahmen, begann am Mars-Tempel außerhalb des Pomeriums, der geheiligten Stadtgrenze, und führte am Castor-Tempel auf dem Forum vorbei aufs Kapitol.

Mit Castor und Pollux hatten die Römer faktisch zwei Götter übernommen, die bereits bei den Latinern ihren Platz gehabt hatten. Auf einer aus dem sechsten oder fünften vorchristlichen Jahrhundert stammenden Bronzetafel aus Lavinium findet sich die offenbar aus dem Griechischen transkribierte Widmung »Den *kuroi* Castor und Pollux«. In Lavinium gab es eine Quelle der Iuturna und im nahe gelegenen Ardea einen Dioskuren-Tempel. Von einigen wurden sie mit den Großen Göttern gleichgesetzt, den *Di Penates* (Schutzgöttern der Vorratskammern), die ursprünglich von Samothrake nach Troja und von dort mit Aeneas nach Italien gelangt waren.

Als Ascanius Alba Longa erbaute, geschah etwas Seltsames. In der

Das Sarkophagrelief zeigt Bildnisse der Dioskuren und Iuppiters, die – wahrscheinlich bei einer religiösen Prozession – in einem überdachten Wagen mitgeführt werden

Stadt wurde ein eigener Tempel für die Bilder der beiden Götter errichtet, die dann von Lavinium in ihre neue Heimat gebracht wurden. Während der Nacht verschwanden sie indes, obwohl die Tempeltüren fest verschlossen waren und weder am Dach noch an den Mauern des Gebäudes irgendeine Beschädigung festzustellen war. Man fand sie schließlich an ihrem alten Standort in Lavinium. Begleitet von Gebeten und besonderen Sühneopfern wurden sie erneut nach Alba gebracht, doch wieder verschwanden sie über Nacht und kehrten nach Lavinium zurück. Zu guter Letzt beschloß man, sie dort zu lassen und der Obhut einiger Männer aus Alba anzuvertrauen. In geschichtlicher Zeit statteten römische Beamte Lavinium einmal im Jahr einen Besuch ab, um den Penaten und der Göttin Vesta Opfer darzubringen; die ursprünglichen, von Aeneas höchstpersönlich aus Troja mitgebrachten Penaten wie auch das Palladium, ein heiliges Kultbild der Pallas Athene, das den Bestand des römischen Staates gewährleisten sollte, wurden zu dieser Zeit jedoch in Rom selbst, nämlich im Vesta-Tempel, aufbewahrt – oder zumindest glaubte man dies allgemein.

Die Namen Castor und Pollux sowie der Name eines weiteren »Einwanderers«, Hercules, gingen in die Alltagssprache der Römer ein: Sie verwendeten sie als schwache Schwur- oder Beteuerungsformeln – sonderbarerweise jedoch geschlechtsspezifisch. Frauen, und in der Regel nicht Männer, sagten *mecastor*! (»beim Castor!«); Männer wie Frauen benutzten *edepol*! (»beim Pollux!«), *mehercle* (»beim Hercules!«, »fürwahr!«) dagegen sollten Frauen nicht in den Mund nehmen – vielleicht, weil sie nichts von dem Essen zu sich nehmen durften, das dem Hercules an der Ara Maxima, am »Größten Altar«, geopfert wurde.

Hercules und Cacus

Die Ara Maxima stand auf dem Forum Boarium, dem Rindermarkt, in Rom und war das Zentrum eines besonderen Hercules-Kultes. Man weiß nicht, ob Hercules bei den Kaufleuten populär wurde, weil sich der Altar an dieser Stelle befand, oder ob man ihm, wie manche glauben, dort einen Altar errichtet hat, weil er mit dem von phönizischen Händlern nach Rom gebrachten Gott Melkart gleichgesetzt und von Kaufleuten aufgrund seiner eigenen »Reisetätigkeit« und seinem Ruf als »Abwender von Übel« bereits als Schutzheiliger verehrt wurde. Wie dem auch sei, jedenfalls hatten die Römer ihre eigene Sage, um den Kult zu erklären. Ihr Hercules besaß zunächst einmal einige der persönlichen Eigenschaften des griechischen Originals. Er rettete nicht nur die Menschheit vor schrecklichen Ungeheuern, sondern war, so wird angedeutet, auch recht habgierig und ein nicht gerade vor Intelligenz strotzendes »Muskelpaket« mit recht hitzigem Temperament.
Auf dem Rückweg von seiner zehnten Arbeit, die ihn in den äußersten Westen der damaligen Welt geführt hatte, machte Hercules auf einer saftigen Wiese am Tiberufer Rast, um das Vieh weiden zu lassen, das er dem dreileibigen Ungeheuer Geryon entwendet hatte. Vom Essen und Trinken ermüdet, schlief er ein. Dies nutzte ein in der Gegend ansässiger Hirte namens Cacus, der rasch die schönsten Rinder aus der Herde davontrieb. Um die Spuren zu

verwischen, zog er sie an ihren Schwänzen rückwärts in seine Höhle. Beim Zählen der Tiere am nächsten Morgen bemerkte Hercules, daß einige fehlten. Unverzüglich machte er sich auf die Suche. Die Spuren, die er vor einer Höhle ganz in der Nähe des Rastplatzes entdeckte, stellten ihn indes vor ein Rätsel, führten sie doch alle von der Höhle weg und nirgendwohin. Verblüfft war er schon dabei, die restliche Herde weiterzutreiben, als einige der Tiere zu muhen begannen und die in der Höhle eingeschlossenen antworteten. Nun durchschaute Hercules den Trick; er stöberte Cacus auf und erschlug ihn mit seiner Keule.

Das war die Geschichte, wie Livius sie in *Ab urbe condita* knapp und nüchtern erzählte. In Vergils *Aeneis* wurde daraus eine phantastische Schauergeschichte, die sich beinahe wie das Drehbuch für die Special-effects-Abteilung eines Filmstudios liest. Vergils Cacus war kein menschliches Wesen, sondern ein gräßliches, feuerspeiendes Scheusal, halb Mensch, halb Ungeheuer, das von Vulcanus abstammte, in einer Höhle hauste und Menschenfleisch aß. Vom Boden seiner Höhle auf dem Aventin stieg der Gestank von frisch vergossenem Blut auf, und am Eingang hingen menschliche Schädel, »entstellt von grauser Verwesung« (*Aeneis* 8,197). Er war feige; als er Hercules heranstürmen sah, nahm er Reißaus und flüchtete in seine Höhle. Rasch riß er eine Kette durch, die einen mächtigen Felsbrocken sicherte – eine Konstruktion, die sich sein Vater Vulcanus hatte einfallen lassen; der Fels stürzte herab und verschloß den Eingang uneinnehmbar. Hercules mühte sich nach Leibeskräften, doch vermochte er weder den Felsblock zu bewegen noch einen anderen Zugang zur Höhle zu entdecken. Schließlich kletterte er den Hügel weiter hinauf, riß mit seinen übermenschlichen Kräften die Gesteinsdecke weg, die das Dach der Höhle bildete, und stürzte sie den Abhang hinunter.

Unter dem Sturze erdröhnt da der Äther in all seiner Größe,
Und das Gestade zerbirst, und der Strom flieht zitternd nach aufwärts.
Aber die Höhle, die unermeßliche Höhle des Cacus,
Lag nun enthüllt; tief taten sich auf die finsteren Schlünde:

[...]
Jetzt, da er wider Erwarten so plötzlich im Lichte ertappt stand,
Rings gefangen vom hohen Gestein, und fürchterlich brüllte,
Greift der Alkide Hercules von oben ihn an, macht alles zur Waffe
Schleudert Stämme nach ihm und unermeßliche Felsen.
Jener, da aus der Gefahr ihm jedes Flüchten versagt bleibt,
Speit aus dem Mund entsetzlichen Qualm, ein Wunder zu sagen,
Und verhüllt seine Höhle in finsteren Nebel, den Augen
Nimmt er jegliche Sicht und ballt im Grund seiner Höhle
Rauchverströmende Nacht, mit Feuer die Finsternis mischend.
(8,239–255)

Schließlich wird es Hercules zu dumm. Wütend springt er selbst in den Schlund hinunter.

Dort ergreift er den Cacus, der zwecklos Glut in dem Dunkel
Immer noch speit, und umschlingt ihn fest und preßt ihn und würgt ihn,
Bis ihm das Auge entquoll und blutlos keuchte die Kehle.
(8,259–261)

Hercules öffnet den Höhleneingang und wirft die Leiche hinaus. Nach Cacus' Tod stifteten die Bewohner der Gegend unter ihrem Anführer Euander Hercules zu Ehren einen Kult, aus Dankbarkeit, weil er sie von ihrem Unterdrücker befreit hatte. Jedes Jahr wurden Ochsen geopfert und ein Festmahl abgehalten. Für den »heiligen Dienst« waren zwei römische Familien verantwortlich, die Potitier und die Pinarier. Die Pinarier kamen zum ersten Festmahl zu spät und erhielten deshalb nichts mehr von den Eingeweiden; daraus leitete sich der Brauch ab, daß die Pinarier nie etwas von den Innereien der Opfertiere vorgesetzt bekamen. Im Jahre 312 v. Chr. wurde der Kult vom Staat übernommen (Livius deutet an, daß es dabei nicht ganz legal zugegangen sei). Der Appius Claudius (später als »der Blinde« bekannt), der in jenem Jahr Zensor war, gestattete den Potitiern, öffentliche Sklaven in den Riten zu unterweisen, um diesen den Vollzug zu übertragen. Binnen eines Jahres waren sämtliche Potitier tot, ihre Sippe und ihr Name ausgelöscht, und wenige Jahre später erblindete Claudius. (Von den Potitiern hören wir übrigens sonst nichts, Nachkommen der Pinarier finden auch noch zu späterer Zeit Erwähnung.)

Von Musikern angeführte Reiter-Prozession zu einem Altar, an dem ein Opfer dargebracht wird. Urnenrelief (um 110 v. Chr.)

Der Kult wies einige seltsame Züge auf. So durfte keine Frau vom Opferfleisch essen, andere Götter durften nicht angerufen werden, Hunde waren im Tempelbereich verboten. Plutarch hatte seine Vorstellungen, weshalb dies so war: Andere Götter wurden nicht erwähnt, weil Hercules nur ein Halbgott war. Hercules konnte Hunde nicht ausstehen wegen all der Schwierigkeiten, die Cerberus, der dreiköpfige Wachhund der Hölle, ihm bereitet hatte, und weil ein Hund letztlich die Ursache für den Kampf gewesen war, in dem sein Zwillingsbruder Iphikles fiel. Frauen waren ausgeschlossen, weil die Geburtsgöttin Carmenta (s. S. 34 ff.) sich verspätet hatte.

Properz gibt dafür, das Heldenepos parodierend, eine andere Erklärung. Cacus zu töten war eine Arbeit, die Durst machte, und als Hercules darum bat, an einer Quelle in einem Heiligtum der Bona Dea, der Guten Göttin, trinken zu dürfen (deren Riten geheim und Frauen vorbehalten waren), verweigerte ihm die Priesterin den Zugang. Hercules zertrümmerte die Tür und sorgte so dafür, daß er seinen Durst stillen konnte. Dann rächte er sich für das Verhalten der Priesterin: Er teilte ihr mit, er werde, zum Dank dafür, daß er seine Rinder wiedergefunden habe, selbst einen Altar errichten, und keiner Frau werde es gestattet sein, an *seinem* Kult teilzunehmen.

Cacus und Cacu

Es gab noch eine andere Version der Geschichte, die sich bereits spätestens im 2. Jahrhundert v. Chr. bei römischen Schriftstellern findet. Danach gehörten die Rinder einem griechischen Hirten namens Recaranus oder Garanus, der aufgrund seiner Größe und Kraft als »ein Hercules« bezeichnet wurde. Cacus, ein Sklave Euanders, stahl sein Vieh. Euander fand das heraus, gab die Rinder ihrem Besitzer zurück und ließ Cacus bestrafen.
Ist dies lediglich eine rationalistische Fassung der Hercules-Geschichte, oder handelt es sich, wie manche glauben, um eine eigenständige italische Sage, die mit jener verschmolz? Um die Verwirrung noch zu steigern, erinnern sowohl »Recaranus« als auch »Garanus« an verfälschte Formen von Geryon – aber Hercules, nicht Cacus der Sklave, stahl dessen Rinder. Jedenfalls wurde darauf aufmerksam gemacht, daß »Cacus« das griechische Wort für »schlecht, böse« (*kakos*) ist, und Euander bedeutet wörtlich »guter Mann«. Daß der Dieb Cacus hieß, half den Römern auch, den Namen einer Treppe zu erklären, die vom Forum Boarium auf den Palatin führte.
Damit sind die Geschichten um Cacus jedoch noch nicht erschöpft. Dem im 2. Jahrhundert v. Chr. lebenden römischen Annalisten Gnaeus Gellius zufolge wohnte Cacus in der Nähe des Ti-

Cacu und Artile geraten in einen von den Vibennae gelegten Hinterhalt; ein Satyr beobachtet den Vorfall. Zeichnung nach einem Bronzespiegel aus Bolsena

Bronzefigur des Hercules, aus Umbrien (5. Jh. v. Chr.)

bers. König Marsyas hatte ihn in Begleitung des Phrygiers Megales als Gesandten zum Etruskerkönig Tarchon geschickt, der ihn gefangensetzte. Cacus entkam, kehrte mit Verstärkung zurück und eroberte die Gegend um den Vulturnus und Campanien. Als er den Versuch wagte, auch das Gebiet einzunehmen, das man den Arkadiern (d. h. Euander und seinen Leuten) überlassen hatte, wurde er von Hercules getötet, der sich zufällig gerade dort aufhielt. Megales ging zu den Sabinern und lehrte sie die Kunst der Vogelschau.

König Tarchon, ein Sohn oder Enkel des Hercules, war der Gründer der etruskischen Stadt Tarquinii und in der Kunst der Weissagung bewandert. Als eines Tages ein Bauer in Tarquinii seinen Acker pflügte, sah er plötzlich aus einer Furche ein Wesen mit grauen Haaren und dem Gesicht eines Kindes auftauchen. Das war Tages, der Tarchon und den Führern aller anderen Etruskerstädte die Kunst der Weissagung aus dem Vogelflug und den Eingeweiden der Tiere enthüllte. Marsyas war, in der griechischen Mythologie, ein Satyr und Flötenspieler, der Apollon (der die Lyra spielte) zu einem musikalischen Wettstreit herausforderte und diesen verlor; der Gott zog ihm als Verlierer die Haut ab. Gellius bezeichnet Marsyas als König der Lyder, der eine Stadt am Fucinus-See gegründet habe. Nach antiker Überzeugung waren die Etrusker aus Lydien nach Italien gekommen.

Diese Geschichte spielt zwar in der mythologischen Zeit vor der Gründung Roms, könnte aber just den Ansatz zu einer Klärung historischer Beziehungen zwischen Etruskerherrschern in verschiedenen Teilen Italiens im sechsten vorchristlichen Jahrhundert enthalten; in der Zeit davor hatten die Etrusker ihr Einflußgebiet sowohl nach Norden als auch nach Süden ausgedehnt und Kolonien in Norditalien und im Süden bis nach Campanien gegründet.

»Cacu« ist in der etruskischen Ikonographie häufig anzutreffen. Zusammen mit seinem Gefährten »Artile« ist er auf einem Bronzespiegel aus dem 4. Jahrhundert v. Chr. zu sehen, wo ihn zwei Krieger aus dem Hinterhalt angreifen, und in Reliefszenen auf nicht weniger als acht Alabaster-Urnen aus dem 2. Jahrhundert

v. Chr. begegnet er uns als ihr Gefangener. Dieser Cacus ist weder ein Ungeheuer noch ein ungeschlachter Hirte, sondern ein gutaussehender junger Mann, offenkundig ein Seher und Wahrsager. Er spielt auf einer Leier, und Artile, vielleicht sein Gehilfe, hält ein Diptychon mit Schriftzeichen. Bei den Männern, die ihm – möglicherweise in der Hoffnung, von seinem »Insiderwissen« zu profitieren – auflauern, handelt es sich um niemand anderen als Caelius und Aulus Vibenna, denen wir bereits begegnet sind (s. S. 70). Wieder vermischen sich Geschichte und Mythologie.

Wie aus dem etruskischen Seher Cacu allmählich der römische Unhold Cacus wurde – und die besonderen Gründe, weshalb den Römern daran gelegen war, zu verschiedenen Zeiten die jeweilige Tendenz der Geschichten zu ändern –, war Gegenstand umfangreicher Diskussionen und Spekulationen in unserer Zeit. Soviel scheint festzustehen: Wieder einmal haben wir die Römer offenbar bei der »Zensur« einer alternativen – etruskischen – Geschichte Mittelitaliens ertappt.

Kulte und Feste

Die Römer feierten zahlreiche religiöse Kulte, und zwar sowohl privat als auch öffentlich. Auf dem Land brachten die Bauern vor jeder Arbeit den entsprechenden Göttern Opfer dar. Cato der Ältere schildert im 2. Jahrhundert v. Chr. in seinem Buch über den Landbau (*De agri cultura*) eine Reihe ihrer Bräuche und Riten; zweihundert Jahre später malte sich ein »romantischer« Dichter, Albius Tibullus, das Landleben als Idylle aus, in der seine Geliebte die Bauersfrau spielt und Trauben, Getreideähren oder Wein als Opfergaben darbringt. Römische Häuser hatten einen Altar, an dem täglich dem Genius (Schutzgeist) des Familienoberhauptes, den Penaten (den Schützern des häuslichen Wohlstands) und den Laren (den Schutzgöttern des Hauses) geopfert wurde. Neben den *lares familiares* gab es auf dem Land und in den Städten auch Laren, die öffentlich verehrt wurden. Diese *lares compitales* (von *compitum* ›Kreuzweg, Scheideweg‹) galten als Schutzgottheiten der Stellen bzw. Kreuzungen, wo Ländereien oder Stadtbezirke aneinanderstießen. Ihre Feste waren Anlaß für fröhliche Nachbarschaftsfeiern. Kaiser Augustus verband schließlich den Kult, der seinem eigenen Genius gewidmet war, mit dem der Laren. Weder öffentliche noch Familienlaren haben aber individuelle Namen oder Geschichten.

Der römische Kalender listet zwar Dutzende von öffentlichen religiösen Ereignissen auf, doch Einzelheiten über das, was bei diesen Festen passierte, sind nur in wenigen Fällen bekannt. Wir wollen drei vorstellen, bei denen es recht ausgelassen zuging.

Lar mit einem Trinkhorn und einer Schale für Trankopfer

Anna Perenna: Die Römer feiern Silvester

An den Iden des März (15.), dem Tag, an dem Iulius Caesar 44 v. Chr. ermordet wurde, feierten die Römer das Fest der Anna Perenna. Bis um 153 v. Chr. begann das Jahr am 1. März, so daß die Iden etwa auf die Zeit des ersten Neumonds im Jahr fielen. Am Tag davor, also dem 14., wurde, einem spätrömischen Schriftsteller zufolge, ein in Felle gehüllter Mann mit Ruten verprügelt und aus der Stadt gejagt (genau das gleiche pflegte man übrigens am Silvesterabend auf den Bauernhöfen der Hebriden-Insel Lewis zu tun).

Der Name Anna Perenna deutet darauf hin, daß es sich um eine Personifikation des Jahreszyklus handelte; man stellte sie sich als alte Frau vor. Ovid bietet – typischerweise – eine ganze Reihe von Erklärungen an. Eine, die er vielleicht selbst erfunden hat, besagt, Anna Perenna sei Didos Schwester: Nach Didos Tod drangen Angehörige benachbarter Völker in Karthago ein, und Anna sah sich zur Flucht genötigt. Nach einigen Abenteuern gelangte sie schließlich nach Latium, wo sie Aeneas wiederbegegnete und von ihm in seinem Palast aufgenommen wurde; seine Gemahlin Lavinia war jedoch eifersüchtig und plante einen Anschlag auf Annas Leben. Im Traum wurde Anna von Dido vor der ihr drohenden Gefahr gewarnt. Erneut flüchtete sie und wurde vom Fluß Numicus fortgerissen. Leute, die nach ihr suchten, hörten eine Stimme aus dem Wasser, die sagte, sie sei nun eine Nymphe. »In dem immer dauernden Strom (*amne perenne*) verborgen, werde ich Anna Perenna genannt« (*Fasten* 3,654).

Ovid hält jedoch die Geschichte für wahrscheinlicher, nach der während des ersten Auszugs der Plebs die Lebensmittelvorräte der Menschen auf dem Heiligen Berg allmählich zur Neige gingen. Da tauchte eine alte Frau namens Anna auf, die aus dem südlich von Rom gelegenen Bovillae stammte und arm, aber fleißig war. Mit ihren zittrigen alten Händen buk sie Landbrot, brachte die noch warmen Laibe jeden Morgen zum Heiligen Berg und verteilte sie dort an die Hungernden. Diese errichteten ihr später aus Dankbarkeit ein Denkmal.

Anna Perennas Fest wurde im Norden von Rom, am ersten Meilenstein an der Via Flaminia, gefeiert. Die Leute strömten herbei, brachten sich ein Picknick mit und setzten sich ins Gras. Manche hatten Zelte dabei, andere bauten sich aus Zweigen eine Hütte. Es wurde Wein getrunken, wobei man sich erhoffte, noch so viele Lebensjahre geschenkt zu bekommen, wie man Becher leerte – was natürlich bedeutete, daß jeder soviel trank, wie er nur irgend konnte. Dann begannen die Leute populäre Lieder, die sie in den Theatern gehört hatten, zu singen und zu tanzen. Schließlich taumelten sie betrunken nach Hause.
Ovid fügt hinzu, Mädchen hätten bei diesem Fest »unziemliche« Verse gesungen, und erklärt auch gleich, warum: Sie erinnerten damit an einen Streich Annas. Kurze Zeit, nachdem sie zur Göttin

Griff einer silbernen Opferschale. Unter einer Darstellung der Fortuna befindet sich ein ländlicher Altar; ganz unten eine Frau, die an dem Altar ein Opfer darbringt

geworden war, bat Mars sie um ihre Hilfe. Er habe sich in Minerva verliebt, sagte er, und wolle sie heiraten (nach anderen Autoren handelt es sich um eine Göttin mit Namen Nerio, die Mars' Gemahlin wurde). Anna hielt ihn hin, ließ ihn aber schließlich wissen, daß Minerva eingewilligt habe. Mars begab sich nach Hause, um das Brautgemach vorzubereiten. Dann wurde ihm die Braut zugeführt. Sie trug einen Schleier vor dem Gesicht – und entpuppte sich als Anna.

Nonae Caprotinae: Das Fest der Sklavinnen

Dieses Fest fand an den Nonen des Juli, also am 7., statt und bot ebenfalls Gelegenheit zum Picknick. Die Geschichte über seinen Ursprung erinnert an den Raub der Sabinerinnen – allerdings wurden nun den Römern Frauen abverlangt.

Kurz nach 390 v. Chr. griffen die Latiner römisches Territorium an. In der Nähe von Rom ließ der latinische Feldherr das Heer lagern und sandte einen Boten mit der Forderung in die Stadt, die Römer sollten ihnen eine größere Zahl freigeborener Jungfrauen zum Heiraten schicken. Damit könnten der Krieg beendet und erneut friedliche Beziehungen zwischen den beiden Völkern hergestellt werden. Die Römer erholten sich gerade von der Plünderung ihrer Stadt durch die Gallier und waren nicht sehr auf einen Krieg erpicht. Deshalb zögerten sie, die Forderung abzulehnen, befürchteten aber gleichzeitig, die »Bräute« sollten in Wirklichkeit nur als Geiseln dienen. Eine junge Sklavin namens Tutula oder, wie andere sagen, Philotis riet den Beamten zu einer List: Die hübschesten und am vornehmsten wirkenden Sklavinnen wurden ausgesucht, wie freigeborene Bräute gekleidet und geschmückt und gemeinsam mit Tutula (oder Philotis) ins Lager der Latiner geschickt.

Die ließen sich tatsächlich täuschen. Unter dem Vorwand, die Römer feierten an diesem Tag ein Fest, verführten die Sklavinnen die latinischen Soldaten zum Feiern und Trinken, bis diese schließlich völlig betrunken in Schlaf fielen. Rasch nahmen sie ihnen die

Einer der Penaten mit einem Füllhorn und einer Schale für Trankopfer

Schwerter ab, während Tutula den Beamten das verabredete Zeichen gab. Sie kletterte auf einen wilden Feigenbaum und hielt eine brennende Fackel hoch, wobei sie den Lichtschein gegen die Latiner mit Hilfe von Decken und Tüchern abschirmen ließ. Die Beamten setzten sofort die Soldaten in Marsch, die aus der Stadt hinausstolperten, ohne zu wissen, was eigentlich los war, und sich in ihrer Verwirrung laufend gegenseitig mit Namen anriefen. Sie überraschten die Latiner noch im Schlaf und töteten die meisten von ihnen.

Wein, Frauen und Tanz bei einem Fest. Grabmalerei in Rom

All dieser Ereignisse, so Plutarch, werde mit dem Fest gedacht. Scharen von Sklavenmädchen, prächtig herausgeputzt (vermutlich in den Kleidern ihrer Herrinnen), liefen zum Stadttor hinaus und riefen dabei gebräuchliche männliche Vornamen wie »Gaius«, »Marcus«, »Lucius« usw. Sie scherzten mit allen Männern, die ihnen begegneten. Dann kämpften sie spielerisch miteinander – ein Scheingefecht. Danach ließen sie sich in Lauben nieder, die aus Feigenbaumästen gebaut waren, und hielten ihr Mahl.

Varro zufolge nannte man die Nonen *Caprotinae*, weil Frauen in Latium an jenem Tag der Iuno Caprotina unter einem wilden Feigenbaum (*caprificus*) Opfer darbrachten, wobei sie Feigensaft statt Milch opferten und bei dem Ritual einen Stock, der von dem Baum stammte, verwendeten (vielleicht um sich in dem Scheingefecht gegenseitig damit zu schlagen). Ein späterer Autor ergänzt, daß sowohl Sklavinnen als auch freie Frauen teilgenommen hätten. Das Fest war möglicherweise eine Art weibliche Version der im Dezember stattfindenden Saturnalien, bei denen die Herren ihre Sklaven bedienten – nützlich als Sicherheitsventil zur Aufrechterhaltung der sozialen Ordnung. Während des frühen Kaiserreiches überließen die Herren diesen Teil der Feiern ihren Kindern; wahrscheinlich nahmen auch die Herrinnen nicht mehr an den caprotinischen Nonen teil.

Der religiöse Zweck des Festes mag die Bitte um Fruchtbarkeit gewesen sein, und zwar sowohl um Fruchtbarkeit der Frauen als auch in der Landwirtschaft (Columella, ein Autor, der Werke über den Landbau verfaßte, empfahl die Befruchtung von Feigenbäumen im Juli). In der latinischen Stadt Lanuvium wurde Anfang Februar das Fest der Iuno Sospita (»Beschützerin«) gefeiert, die mit einem Ziegenfell (›Ziege‹ = *caper* oder *capra*, je nach Geschlecht) auf dem Kopf dargestellt wird. Junge Mädchen betraten mit verbundenen Augen den ihr heiligen Hain mit Gerstenkuchen als Opfergabe für eine heilige Schlange. Fraß die Schlange die Kuchen, war dies ein Beweis für die Jungfräulichkeit der Mädchen und zugleich ein Zeichen dafür, daß das Jahr fruchtbar werden würde.

Ziege oder Feigenbaum? Plutarch erzählt in seinen *Parallelviten* eine andere Geschichte. Es gab ein römisches Fest, das als *Poplifugia* (›Volksflucht‹) bekannt war. Keiner wußte, an welches Ereignis damit eigentlich erinnert werden sollte; eine Erklärung besagte, es stehe mit dem Verschwinden des Romulus in Zusammenhang, das sich in der Nähe eines Ortes namens »Ziegensumpf« (*caprae palus*) ereignet hatte:

> Der Tag, an dem er entrückt wurde, heißt *Poplifugia* und *Nonae Caprotinae*, weil man zu dem Opferfest aus der Stadt zum Ziegensumpf hinauszieht, und die Ziege nennen sie *capra*. Wenn sie zum Opfer hinausgehen, rufen sie laut viele der gebräuchlichen Namen wie »Marcus!«, »Lucius!«, »Gaius!«, um die damalige Flucht und das ängstliche und besorgte gegenseitige Rufen anschaulich zu machen.
>
> (*Romulus* 29)

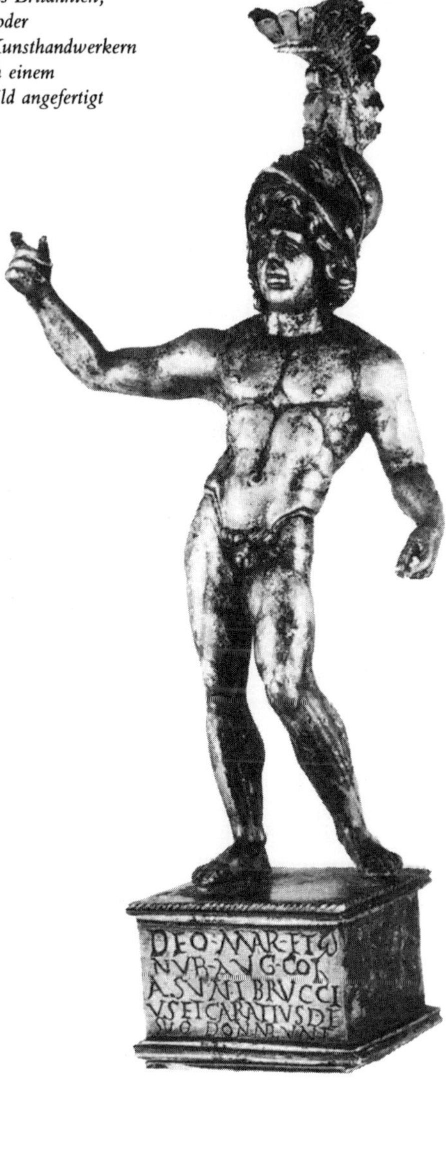

Mars-Statue aus Britannien, von gallischen oder britannischen Kunsthandwerkern vermutlich nach einem italischen Vorbild angefertigt

Leider bringt der Grieche Plutarch hier etwas durcheinander, geht er doch davon aus, das Fest der *Poplifugia* (das am 5. Juli gefeiert wurde) und die *Nonae Caprotinae* fielen auf den gleichen Tag. Die Nonen bezeichneten im römischen Kalender zwar den fünften Tag eines Monats; März, Mai, Juli und Oktober bildeten jedoch Ausnahmen, in diesen Monaten waren die Nonen am 7.

Lupercalia: Über die Stränge schlagen?

Das Luperkalien-Fest am 15. Februar läßt sich einfacher beschreiben als erklären. Zwei Priesterkollegien waren daran beteiligt, die *Luperci Quintilii* und *Fabii*; ein drittes, die nach Iulius Caesar benannten *Iulii*, wurde 45 v. Chr. ins Leben gerufen, hatte aber nicht lange über Caesars Tod hinaus Bestand.

Die Zeremonien begannen in der Lupercalgrotte an der Südwestseite des Palatin. Tiere – Ziegen und meist auch ein Hund – wurden geopfert, und die Vestalinnen buken Kuchen aus Mehl, das aus den ersten Ähren der Vorjahresernte gemahlen worden war. Das Blut auf der Klinge des Opfermessers wurde zwei *Luperci* auf die Stirn geschmiert und sofort mit einem in Milch getränkten Wolltuch wieder abgewischt; dann mußten die jungen Männer lachen. Die Ziegenfelle wurden in Streifen geschnitten. Einige davon banden sich die jungen Männer um. Bis auf diesen Lendenschurz nackt, liefen die beiden Gruppen dann in entgegengesetzter Richtung rund um den ganzen Palatin und zum Lupercal zurück (später scheint die Route auf eine Teilstrecke verkürzt und um einen Sprint auf der Heiligen Straße im Bereich des Forum erweitert worden zu sein). Unterwegs versetzten sie den Zuschauern, insbesondere weiblichen, Schläge mit den Riemen.

Zur Zeit des Augustus ist der Spaß möglicherweise etwas außer Kontrolle geraten. Livius sprach von dem »übermütigen Spiel« der ursprünglichen Teilnehmer – was Valerius Maximus später so auslegte, daß sie zuviel getrunken hatten. Augustus verbot Jugendlichen, am Wettlauf teilzunehmen, solange sie sich noch nicht rasieren mußten. Dennoch überlebte das Fest bis ins Jahr 494

n. Chr., als Papst Gelasius I. es als »Mariä Lichtmeß« für die Kirche beanspruchte.
Der geopferte Hund stellte ein Rätsel dar. Plutarch, nie um eine Erklärung verlegen, bietet in seinen *Parallelviten* vier Lösungsvorschläge an:

> Bei dem Hund möchte man glauben, falls das Ganze ein Reinigungsfest ist, daß er als Sühnopfer dient. Denn auch die Griechen bringen bei Reinigungsfesten junge Hunde zum Opfer [...]. Wenn sie die Feier aber als Dankfest für die Wölfin wegen der Ernährung und Bewahrung des Romulus begehen, so wird der Hund wohlverständlicher Weise geschlachtet, denn er ist den Wölfen feind. Oder ist es am Ende so, daß das Tier bestraft wird, weil es die *Luperci* bei ihrem Umlauf belästigt?
>
> (*Romulus* 21)

Schließlich mochte Pan, dem zu Ehren die *Lupercalia* einst gestiftet worden waren, Hunde, die die Herden bewachten.
Der Altertumsforscher Varro interpretierte das Schlagen mit Lederriemen als Reinigungsritual, Ovid zog die – wahrscheinlich volkstümliche – Ansicht vor, es fördere die Fruchtbarkeit; Plutarch führt beide Erklärungen an. Shakespeare greift in seinem *Iulius Caesar* diesen Aspekt auf: Während des Luperkalien-Festes fordert Caesar seine kinderlose Gattin auf, sich Marcus Antonius in den Weg zu stellen, um geschlagen zu werden. Am berühmtesten wurden die Luperkalien des Jahres 44 v. Chr. In jenem Jahr bot Marcus Antonius Iulius Caesar dreimal öffentlich ein lorbeerumkränztes Königsdiadem an, das jener dreimal ausschlug. Wahrscheinlich wählte er diese Gelegenheit wegen der großen Zahl an Zuschauern, die sich anläßlich des Festes versammelt hatten. Diese Demonstration, mit der er beweisen wollte, daß er nicht nach der Königswürde strebe, half Caesar nicht; einen Monat später wurde er ermordet.
Euander soll das Fest zu Ehren des Pan vom Lykaios gestiftet haben, der mit der Waldgottheit Faunus oder mit »Inuus« identifiziert wurde. Soweit es einer Erklärung für den Ursprung dieses

Festes bedurfte, glaubten die Römer, die *Lupercalia* feierten auf irgendeine Weise die Anfänge Roms (das Fest fand nicht am »offiziellen Geburtstag« statt – der war später, am 21. April). Die Strecke, über die der Wettlauf führte, hielten einige für die Grenze des ursprünglichen Rom, wie Romulus sie einst um den Palatinischen Hügel herum gezogen hatte; sie begann und endete bei seiner alten »Kinderstube«, der Wolfsgrotte. Die beiden Wettkampfteams wurden mit Romulus und Remus assoziiert. Ovid erklärt in den *Fasten* (2,269ff.), warum: Einst, als sie noch junge Hirten waren, habe man sie, während die Opferziegen für Faunus gerade brieten, verständigt, daß Räuber das Vieh wegtrieben. Romulus und Remus nahmen, jeder von einer Gruppe junger Männer begleitet, sofort die Verfolgung der Viehdiebe auf, und zwar in entgegengesetzter Richtung. Remus und seinen Fabiern gelang es, den Räubern ihre Beute abzujagen. Sie kehrten vor Romulus und seiner Gruppe zurück und verzehrten das gesamte Mahl. Nach der in christlicher Zeit vorgenommenen Neuinterpretation versinnbildlichte das Auf- und Ab-Rennen auf der Heiligen Straße die sündige Menschheit, die den Berg hinauf- und hinunterrannte, um der Sintflut zu entkommen.

Solche Erklärungen ließen jedoch eine Menge Fragen offen. Warum wurde die Stirn zweier *Luperci* mit Blut beschmiert? Was hatte es mit der milchgetränkten Wolle und dem Lachen auf sich? Warum die Lendenschurze und Riemen aus Ziegenfell? Plutarch zufolge soll ein griechischer Dichter des ersten vorchristlichen Jahrhunderts gesagt haben, das Blut erinnere an die Gefahr, in die Amulius die Säuglinge gebracht habe, und die Milch daran, daß sie von der Wölfin gesäugt worden waren. Die Ziegenfellriemen werden manchmal als Bestandteil eines Reinigungsrituals erklärt (Varro, Plutarch).

Ovid bringt sie interessanterweise mit Iuno in Verbindung, und zwar mit Iuno Lucina (Iuno als Göttin der weiblichen Fruchtbarkeit und auch als Göttin der Geburt), der ein Tempel auf dem Esquilin geweiht war (Iuno Sospita mit dem Ziegenfellmantel wurde in Rom ebenfalls verehrt, aber an einem anderen Ort). Bräute, die Mutter werden wollten, sollten sich beim Luperkalien-Fest schlagen lassen, sagt Ovid. Einst, während der Herrschaft des Romulus, war die Geburtenrate katastrophal zurückgegangen. »Was nützt es mir, die Sabinerinnen geraubt zu haben?« fragte sich Romulus. Auf dem Esquilin gab es einen der Iuno geweihten Hain. Die Frauen begaben sich mit ihren Ehemännern dorthin und beteten zur Göttin. Da begannen mit einemmal die Baumwipfel zu erzittern, und aus dem Hain war die Stimme der Göttin zu vernehmen: »Italische Mütter, ein heiliger Ziegenbock soll hineingehen [inito]« (2,441). Das Wort *inito* erklärt vielleicht den Namen Inuus.

Münze aus dem Jahr 65 v. Chr. Vorderseite: Iuno Sospita mit einer Kopfbedeckung aus Ziegenfell; Rückseite: eine Frau, die einer aufgerichteten Schlange etwas darbietet

Den Leuten verschlug es die Sprache, sie wußten nicht, was das zu bedeuten hatte. Da tötete ein Augur, ein Verbannter aus Etrurien (dessen Name aber längst in Vergessenheit geraten ist) eine Ziege und forderte die Frauen auf, sich mit dem in Streifen geschnittenen Fell schlagen zu lassen. Im zehnten Monat wurden die Römer Eltern.

Die Luperkalien dürfen wohl als Beispiel für ein Phänomen gelten, das das Herz eines jeden Mythenforschers höher schlagen läßt, nämlich für ein Fest mit einer Vielzahl von Funktionen, die sich in Folge einer langen historischen Entwicklung um ein bestimmtes

Datum sammelten. Der Februar (*februarius* bedeutet »zur Reinigung gehörig«, als *februum* wurde ein »Unheil abwendendes Reinigungs- und Sühnemittel« bezeichnet) war der letzte Monat des alten Jahres, ein Monat der Reinigung, der Sühne und der Vorbereitung auf Neues. Der erste Tag des Februar war der Tag der Iuno Sospita. Vom 13. bis zum 21. dauerte das Totenfest (*Parentalia*). Während dieser Zeit waren alle Tempel geschlossen, und man besuchte die Familiengräber. Daran schloß sich am 22. das Fest der Verwandtenliebe (*Caristia*) an. Am 27. wurde die Stadtgrenze in einer Prozession abgeschritten, ein Opfer dargebracht. Im März begann das neue Jahr und damit auch wieder die Zeit der Feldzüge für die römischen Krieger.

Die Luperkalien waren ein fester Bestandteil des römischen religiösen Jahres. Es war ein Reinigungsfest für die Gemeinschaft, gleichzeitig aber fungierte es, wie in jüngerer Zeit behauptet wird, auch als Fruchtbarkeitsritual für Frauen und Initiationsritus für junge Männer durch die symbolische Neuinszenierung der Geburt

John »Warwick« Smith: Ansicht von Rom. Aquarell (1780). In der Mitte das Colosseum, links davon der Konstantinsbogen

und der Zeit, bis die Säuglinge, nachdem sie die postnatale Phase überstanden haben, beginnen, auf ihre Umwelt zu reagieren – was das Blut, die Milch, das Lachen und die Verknüpfung mit Romulus und Remus als Kleinkindern erklären würde.

Das mag so sein. Für die Römer war es jedenfalls ein vergnüglicher Zeitvertreib an einem interessanten Tag während einer trübseligen Jahreszeit, und sie hatten ihre eigenen Geschichten, um die Riten zu begründen.

Schlußbemerkung

Römische Mythen und Sagen hatten einer Vielzahl von Absichten und Zielen zu dienen, von daher waren sie in Einzelheiten nicht sakrosankt; bei Bedarf wurden sie verändert, ausgeschmückt oder bearbeitet. Einige Geschichten sollten, wie wir eben gesehen haben, Riten oder Feste erklären oder in Rom eingeführte fremdländische Götter »heimisch machen«. Andere feierten die – zumindest als Ideale – hochgehaltenen patriotischen und moralischen Prinzipien als genuin römische Grundwerte, während sie häufig gleichzeitig Begründungen für historische Ereignisse boten oder den Anspruch einer vornehmen Familie auf einen Spitzenplatz in der römischen Überlieferung anmeldeten. Am wichtigsten waren die Sagen um die Gründung Roms und seine frühe Entwicklung. Diese unterstrichen den Anspruch der Römer, von Anfang an unter den Völkern Italiens, die zu beherrschen ihnen bestimmt war, eine überragende, von keiner Niederlage getrübte Stellung eingenommen zu haben (alternativen Versionen anderer Völker zum Trotz, die erfolgreich unterdrückt wurden). Sie beanspruchten auch für die Römer einen Anteil am kulturellen Geburtsrecht der griechischen Zivilisation, die sie erobert hatten. Doch mehr als all dies – und trotz ihrer Umarbeitung, die darauf abzielte, die Macht der Herrscher während des Kaiserreiches zu stützen – stellten sie Rom selbst und sein Volk als von den Göttern dazu auserwählt dar, über die ganze Welt zu herrschen.

Literaturhinweise

(Von Kai Brodersen)

Der direkteste und auch vergnüglichste Weg, römische Mythen kennenzulernen, ist, sie so zu lesen, wie die antiken Autoren sie selbst erzählten. Griechische und lateinische Literatur ist in modernen zweisprachigen Ausgaben und Übersetzungen erhältlich, oft in Reclams Universal-Bibliothek.

Aus der Vielzahl handlicher Lexika zur griechischen Mythologie seien drei hervorgehoben: Als besonders hilfreich gilt *Reclams Lexikon der antiken Mythologie* von E. Tripp (8. Aufl., Stuttgart 2012), das unter rund 2200 Stichworten anschaulich Informationen zu allen Bereichen der Mythologie vermittelt. Ein *Kleines Lexikon mythologischer Figuren der Antike* haben K. Brodersen und B. Zimmermann in der Basisbibliothek Antike (Stuttgart 2015) vorgelegt. Das *Lexikon der griechischen und römischen Mythologie* von Ch. Harrauer und H. Hunger (9. Aufl., Wien 2006) hilft besonders in Fragen der Rezeptionsgeschichte weiter.

Zwei große Enzyklopädien erschließen den wissenschaftlichen Stand ihrer Zeit: W. H. Roscher hat ein *Ausführliches Lexikon der griechischen und römischen Mythologie* (6 teils in zwei geteilte Bände, Leipzig 1886–1937) herausgegeben. Insgesamt 20 Bände (8 Doppelbände Enzyklopädie und je ein Doppelband Register und Supplement) umfasst das *Lexicon Iconographicum Mythologiae Classicae* (Zürich, München bzw. Düsseldorf 1981–2009), das fast alle Belege und künstlerischen Darstellungen der Gestalten der griechischen und römischen Mythologie erschließt.

Unerlässlich für das Verständnis römischer Mythen und Sagen ist

ein Einblick in die römische Religion. Einen Zugang eröffnen u.a. die im Handbuch der Altertumswissenschaft erschienenen Bände von G. Wissowa, *Religion und Kultus der Römer* (2. Aufl., München 1912) und von K. Latte, *Römische Religionsgeschichte* (2. Aufl., München 1967) sowie J. Rüpke, *Die Religion der Römer* (München 2001). Weitere Informationen zu dem im Text ebenfalls nur knapp angesprochenen Verhältnis von Römern und Etruskern geben R. M. Ogilvie in *Das frühe Rom und die Etrusker* (München 1983) und M. Pallottino, *Italien vor der Römerzeit* (München 1987). Die Verwendung der Mythen in der Politik reflektiert etwa P. Zanker, *Augustus und die Macht der Bilder* (5. Aufl., München 2009).
Generationen geprägt hat die Nach- und Neuerzählung der Mythen von Gustav Schwab, *Sagen des klassischen Altertums* (1838–1840), eine Auswahl ist unter dem Titel *Die schönsten Sagen des klassischen Altertums* 2016 bei Reclam erschienen. An Kinder wendet sich die Nacherzählung *Römische Sagen* von R. Carstensen (München 1994).

Die im vorliegenden Buch zitierten Passagen aus den ersten vier Geschichtsbüchern des Livius sind der zweisprachigen Ausgabe in Reclams Universal-Bibliothek entnommen (Stuttgart 1981–91. 2015): *Ab urbe condita / Römische Geschichte*, das 1. Buch übersetzt von R. Feger, das 2. Buch von M. Giebel, das 3. und 4. Buch von L. Fladerer. Die *Aeneis* des Vergil wird zitiert nach der in Reclams Universal-Bibliothek erschienenen Übersetzung von W. Plankl und K. Vretska (Stuttgart 1953 u.ö.). Ovids *Fasten* werden zitiert nach der Übersetzung von F. Böhmer (Heidelberg 1957), seine *Ars amatoria / Liebeskunst* nach der Übersetzung von M. von Albrecht in der zweisprachigen Ausgabe von Reclams Universal-Bibliothek (Stuttgart 1992). Die Zitate aus den *Parallelviten* Plutarchs sind K. Zieglers Übersetzung (*Große Griechen und Römer*, Bd. 1, München 1954) entnommen. Ciceros *Vom Wesen der Götter* wird nach der Übersetzung von W. Gerlach und K. Bayer in der zweisprachigen Ausgabe der Tusculum-Bücherei angeführt (München 1978), Martials *Epigramme* nach der Übertragung von R. Helm (Zürich 1957).

Die Abbildungen und die Karte sind der englischen Originalausgabe entnommen, in der sich auch die entsprechenden Nachweise finden.

Register